ORÁCULO DA FORTUNA E DO AMOR

EM APENAS UM MINUTO

Vadim Samello

ORÁCULO DA FORTUNA E DO AMOR

EM APENAS UM MINUTO

MADRAS

© 2002, Madras Editora Ltda.

Editor:
Wagner Veneziani Costa

Produção e Capa:
Equipe Técnica Madras

Revisão:
Ana Cristina Garcia
Cristina Lourenço

ISBN: 85-7374-500-2

Proibida a reprodução total ou parcial desta obra, de qualquer forma ou por qualquer meio eletrônico, mecânico, inclusive por meio de processos xerográficos, sem permissão expressa do editor (Lei nº 9.610, de 19.2.98).

Todos os direitos desta edição reservados pela

MADRAS EDITORA LTDA.
Rua Paulo Gonçalves, 88 — Santana
CEP: 02403-020 — São Paulo — SP
Caixa Postal 12299 — CEP 02013-970 — SP
Tel.: (0_ _11) 6959.1127 — Fax: (0_ _11) 6959.3090
www.madras.com.br

A RODA DA FORTUNA E DO AMOR

Apresentação

O Oráculo

Corresponde à natureza humana na busca incessante de explicações para os envolventes mistérios que cercam a vida neste planeta.

Cônscio de sua pequenez ante a força de inexplicáveis fenômenos, incapaz de conhecer o próprio destino, o homem experimenta, não raro, a sensação de angústia, do medo, da incerteza, numa condição próxima de se tornar refém do desconhecido e do seu futuro indecifrável.

Mesmo assim reage. E alimenta esperanças ao procurar saídas para enfrentar e entender os fenômenos que o perturbam e que agitam também sua curiosidade. E costuma recorrer a soluções metafísicas e estabelecer assim uma relação visionária com as manifestações do incognoscível.

O caminho da verdade e a sonhada felicidade sugerem formas alternativas de satisfação a essas necessidades da mente humana, inseridas também num contexto em que os oráculos passam a ser adotados como as vias místicas para a obtenção de respostas e de aconselhamentos face ao desconhecido.

Conhecer o futuro: eis o enigma maior, indecifrável e apaixonante, o enigma de todos os tempos.

O autor

Homem de ação, empreendedor de sucesso, Oswaldo Sábio de Mello, nosso querido Vadim, se propôs a realizar uma obra que se identifica com os oráculos, no que eles representam de aceno positivo e indicações confortadoras que aliviam a alma inquietante das pessoas, fazendo nelas brotar o fio de otimismo que conduz à tranqüilidade e à segurança.

Estudioso, Vadim Samello mostra seu lado humanista consubstanciado na preocupação com o bem-estar dos semelhantes ao produzir o engenhoso manual de indagações e respostas com base em acurados estudos de Astrologia e Numerologia.

Resultado de paciente pesquisa e inteligente interpretação, o autor se propõe, através de surpreendente sistematização de dados extraídos do significado oculto dos números e do exame de posição dos astros, estabelecer a relação de influência no caráter e até mesmo no destino das pessoas. E consegue, naturalmente, despertar o mais vivo interesse dos leitores, conduzindo-os a investigações que podem resultar em revelações intrigantes e quase sempre bem recebidas.

O Oráculo é com certeza um manual cotado a romper a monotonia do cotidiano, tanto pelo seu conteúdo como pela hábil arquitetura e composição. Recomendado, portanto, a todos aqueles que buscam algo de especial para se encontrarem nos fados do futuro próximo ou do mais distante.

Hélio Rubens

Apresentação

*Como jogador, Hélio Rubens defendeu a seleção brasileira por 14 anos, dez dos quais como capitão da equipe. Participou de duas Olimpíadas, quatro campeonatos mundiais, quatro Pan-Americanos, cinco Sul-Americanos, além de integrar a seleção das Américas contra a seleção da Europa. Considerado o melhor jogador do país por vários anos, foi vice-campeão mundial, medalha de ouro nos jogos Pan-Americanos e Tetra-campeão Sul-Americano. É atualmente o técnico da seleção brasileira masculina de basquetebol com mais de 160 jogos na direção da representação nacional.
Dirigindo Franca e o Vasco da Gama, foi por oito vezes campeão nacional, campeão Sul-Americano, tri-campeão das Américas e vice-campeão do mundo.*

Dedico este livro à minha esposa Zarifi, aos filhos Miguel, Alexandre, Wlamir, Gotcha, aos netos e a todos que me são caros.

Agradeço a todos que contribuíram para a estruturação deste trabalho e à competente Luciana Alves de Carvalho Junqueira pela sua colaboração no sistema eletrônico.

Vadim

Sumário

Introdução XIV
A História do Oráculo no Brasil XVII
Energia Universal XIX
Deuses, Planetas, Zodíaco e Significados XXI
Século XXI — Perspectivas XXIII
Oráculo XXI XXVI
Introdução ao Oráculo XXI XXVII
Tabela Pitagórica dos Números XXIX
Índice das Perguntas XXX
Como consultar e obter respostas do oráculo ... XXX
Tabela indicativa das respostas XXXI
Perguntas e Tabelas de Respostas XXXII
Respostas do Oráculo XLVI
Conclusão 181
Roda Zodiacal 183

Introdução

A vida é uma eterna busca, e a humanidade procura encontrar algo que possa ajudar seus estudos e pesquisas, partindo de um passado remoto em direção ao futuro.

A civilização egípcia foi a que mais mistérios e magia legou à posteridade desde o ano 3000 a.c.

O oráculo, tabela astral do horóscopo, era sempre consultado, nas questões da vida, com os dois pólos principais, o amor e o poder, dos quais emanam a riqueza e o desejo. Na roda da fortuna do oráculo, a busca eterna era pela prosperidade, pelo sexo, pela sorte ou pelo azar de cada destino. Além disso, os oráculos respondiam perguntas sobre relacionamentos, negócios, saúde, longevidade e vida após a morte.

Os sacerdotes da época eram muito letrados, detinham sabedoria superior, previam as mudanças atmosféricas, prediziam a ocorrência de fenômenos meteorológicos e, com antecedência, anunciavam com segurança os bons tempos para férteis colheitas e os de aridez improdutiva. Terremotos, inundações, eclipses, posicionamento de cometas e outros "acontecimentos" celestes eram anunciados também.

Já ao nascer, a criança era levada ao templo para consultar o oráculo, pelo qual eram transmitidas as mensagens, que prediziam o futuro destino do recém-nascido, de acordo com o Deus regente do horóscopo individual. Conhecendo-se as capacidades e as possibilidades desse ser, ele seria educado e tratado com cuidado e carinho especial, para neutralizar as fases negativas que adviriam em sua vida.

No Egito, os hieróglifos do sistema celestial e seus fenômenos eram inscritos nos sarcófagos, que traziam símbolos da carta astral da vida passada, presente e futura.

Mais tarde, a história nos traz a significativa atuação da Grécia no campo místico, originando uma crença mitológica de grande aceitação desde 500 anos a.c. Egito e Grécia cientificamente notabilizaram-se por suas provadas ligações com as vibrações de energia astral dos planetas com a Terra.

No Egito e na Grécia, os fenômenos astrológicos astronômicos se entrelaçavam com a mitologia mística, e essas antigas ciências eram observadas cuidadosamente pelos sacerdotes e pelos magos que dominavam na época.

Na Grécia, Pitágoras, Platão e Hermes passaram por esses profundos ensinamentos e tornaram-se expoentes da antiga sabedoria astro-celestial, do zodíaco e da numerologia.

Cada dia era consagrado à influência de um mensageiro astral (planeta regente). Cada mês era consagrado a um deus do signo zodiacal. Somente doze deles faziam parte da galeria dos deuses e eram venerados exatamente no período em que o sol passava de um signo para outro.

O Oráculo de Delfos foi o mais famoso da Antiguidade, construído em 490 a.C., em agradecimento pela vitória da Grécia contra a invasão do império Persa.

Apolo, filho de Zeus, matou uma enorme serpente, conhecida por Piton e, no local, construiu o Oráculo de Delfos, cidade situada no Golfo de Corinto. No início, havia três virgens sacerdotisas — as pitonisas — que, em transe, respondiam às perguntas dos visitantes do templo.

Porém as pitonisas, jovens belíssimas, foram raptadas e violentadas, fato que levou os sacerdotes a substituí-las por pitonisas com idade superior a 50 anos. Essas pitonisas entravam em transe mascando folhas de "laurel" ou aspirando gases tóxicos.

Como se estivessem enlouquecidas, as velhas sacerdotisas emitiam sons sem nexo, palavras incompreensíveis e frases incoerentes, interpretadas pelos sacerdotes como se fossem respostas de Apolo.

O Oráculo de Delfos tornou-se conhecido em todo o mundo antigo e foi intensamente visitado por poderosos personagens, por imperadores importantes, por líderes civis e militares, por mercadores e, também, por parte da população, todos ansiosos por obter respostas de comprovada credibilidade.

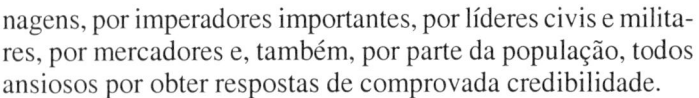

A alta politização do Oráculo de Delfos serviu para que as guerras santas possibilitassem os saques no templo, por várias vezes, até sua decadência e posterior destruição.

Na Grécia, os zodíacos esculpidos nos tetos dos templos atestavam também a importância da astrologia e da numerologia.

Na entrada do Oráculo de Delfos, os antigos gregos fizeram duas inscrições sobre o portal:

"Nada em Excesso"
"Conhece-te a ti mesmo"

A prática do oráculo chegou, mais tarde, a outras nações, até surgir no sul da Espanha, ocupada pelos árabes, no século XIX.

O sábio muçulmano Bey-Ayoub Abdel Muhamad, mestre em astrologia na Espanha ocupada pelos árabes, possuía secretamente uma preciosidade egípcia em matéria de livros fatídicos. Baseado nessa obra, compôs um livro, verdadeira jóia corânica, que ofereceu aos sábios da época, o "Libro de los Celestes Horoscopos".

Teve Bey-Ayoub Abdel ajuda na tradução para o castelhano de dois competentes mestres — Dr. Rui Perez de Las Navas e o professor Manoel Casas Sabio Garcia —, ambos "sabidores de las cosas non sabidas". Desse precioso trabalho em conjunto, resultou um importante "Oráculo", ou seja, "El Libro del Destino, de la Fortuna y del Amor".

Esses são os dois temas que regem a vida na eterna busca da felicidade aqui na Terra, pois o amanhã — do outro lado do mistério — é incerto.

A História do Oráculo no Brasil

Em 1898, aportou em Santos um jovem imigrante espanhol, José Casas Sabio Garcia, então com 18 anos. Era filho de Manuel Casas Sabio Garcia, que decidira enviar seu filho para o Brasil, evitando que este, convocado, partisse para Cuba, onde lutaria pela Espanha em guerra contra os Estados Unidos. Em sua modesta bagagem, o jovem trouxera uma obra de estimação, o "Libreto de la Fortuna y del Amor", ou seja, o Oráculo. Essa preciosidade havia sido trazida do Egito por Bey-Ayoub Abdel Muhamad, na época em que se difundia bastante na Europa o uso dos oráculos em diversas versões.

Versando sobre o destino, notabilizaram-se as obras originárias do Egito e da Grécia antiga, devido aos seus ensinamentos místicos, baseados nas ciências astrológica e zodiacal, dominadas por magos e sacerdotes credenciados naquelas artes. Radicando-se em um sítio em Guaxima, entre as cidades de Sacramento e Conquista, em Minas Gerais, José Casas Sabio Garcia conservou e difundiu o uso do antigo oráculo entre seus amigos e familiares, até vir a falecer.

Por muito tempo, o "Libreto de la Fortuna y del Amor" ficou esquecido em alguma gaveta na residência de seu filho Miguel Sabio de Mello. Após a morte de seus ancestrais, o neto de José, Vadim, encontrou a preciosa e predileta jóia da família: o "Libreto de la Fortuna y del Amor".

Entusiasmado, encantou-se com seus infalíveis conselhos e aprofundou seus estudos para conhecer melhor o seu funcionamento.

Certo da precisão do conteúdo do antigo oráculo, resolveu atualizar sua linguagem, sem alterar seu acertado sistema de astrologia e numerologia e, evidentemente, conservando seu sentido místico e enigmático.

O "novo oráculo XXI" é capaz de responder suas perguntas com sabedoria. Traz conforto e motiva esperanças, servindo a você, leitor, como alegre passatempo, leitura agradável, momento de reflexão e de exercício mental.

Conserve o hábito salutar de fazer consultas metódicas ao livro da roda da vida e do destino, responsável pela fortuna e pelo amor.

Energia Universal

O universo, a relação entre as pessoas, o amor, o corpo humano e o trabalho estão relacionados à energia invisível, a qual, misteriosa por natureza, deve ser aproveitada de forma sempre produtiva.

Egípcios e gregos sabiam que os planetas regiam cada dia da semana nos períodos zodiacais.

Dia da semana	Regente
Domingo	Sol
Segunda-feira	Lua
Terça-feira	Marte
Quarta-feira	Mercúrio
Quinta-feira	Júpiter
Sexta-feira	Vênus
Sábado	Saturno

Pitágoras, filósofo que viveu na Grécia no século VI a.C., salientava que "os números governam o mundo" e chegou à conclusão, depois de muitos estudos, de que cada número emanava vibrações energéticas específicas de amor, poder, harmonia de vida e relacionamento humano.

"A evolução é a lei da vida."
"O número é a lei do universo."
"A unidade é a lei de Deus."
"O equilíbrio é a lei da física."

Deuses, Planetas, Zodíaco e Significados

Os sábios, os magos e os sacerdotes da Antiguidade relacionavam os deuses egípcios e latinos com os planetas.

Deus egípcio	Deus latino	Zodíaco	Força e idéia que representam
Amom	Marte	Áries	Coragem, certeza
Hathor	Vênus	Touro	Beleza e abundância da natureza
Ísis	Mercúrio	Gêmeos	Velocidade, comunicação
Thot	Lua	Câncer	Azul, verde das águas
Rá	Sol	Leão	Soberania do Sistema Solar
Osíris	Urano	Virgem	Natureza gentil e carinhosa
Anúbis	Plutão	Escorpião	Raiva e nervosismo
Horus	Júpiter	Sagitário	Conhecimento da filosofia
Seth	Saturno	Capricórnio	Intensidade de produção
Ftas	Urano	Aquário	Conhecimento e boas idéias
Sobeque	Netuno	Peixes	Fascínio contraditório inexplorado

Os elementos da Terra são quatro e são representados, no zodíaco, da seguinte forma:

- fogo — masculino: áries, leão e sagitário;
- água — feminino: câncer, escorpião e peixes;
- ar — masculino: libra, aquário e gêmeos;
- terra — feminino: capricórnio, touro e virgem.

Século XXI — Perspectivas

Há no mundo inteiro um desejo de mudanças e transformações. As pessoas de bom senso não querem se voltar para as ideologias do passado e não se alegram com a democracia global que recomenda paz e vende armas.
O novo século deve ser marcado pela vontade de reação contra os absurdos do poder econômico, político e militar.
A concentração elevada de renda por parte dos países ricos terá de abrir possibilidades em favor dos países pobres, cuja população de mais de 1 bilhão de pessoas vive com menos de 1 dólar por dia.
Semi-escravizados pela falta de tecnologia e de escolha para se responsabilizar nas áreas produtiva, de informática e de avanços científicos, os excluídos da África, da Ásia e da América Latina, somados à população da China e da Índia, constituirão, no total, uma população de mais da metade dos habitantes da Terra.
Todo esse contingente se declara ansioso e desejoso por iniciar um processo de reação contra as relevantes desigualdades sociais, que poderão trazer o imponderável, o inesperado e o sentimento de revolta criado pela visível intolerância e pela injustiça da economia democrática.
Sem honra e sem oportunidades de alcançar o bem-estar e a recuperação de sua soberania, degradada pela falta de tecnologia, a atual globalização deverá ser afastada gradativamente.
A ascendência do poder econômico com sua hegemonia militar-cultural sofrerá oposição por parte da ideologia liberal,

que demanda atitudes contra pretensos guardiães democráticos do mundo.

Os jovens liberais, decepcionados, defendem a idéia de que nenhuma realidade político-social pode ter efeito econômico negativo em seus países. Desejam também reagir contra os transtornos da economia global e não compreendem por que crises na Ásia, na Europa e na América Latina afetam países desprotegidos situados em outros continentes.

Apaixonam-se pela criação de novas empresas, refletem sobre o relacionamento do homem com a vida, com a morte e com o amor e discutem sobre a sexualidade liberada, buscando respostas que poderão ser esclarecidas neste "Oráculo". Procuram ainda a criatividade, a maioridade ideológica e a competitividade, que não podem ser mais adiadas ou contidas pela fragilidade dos pensamentos e da ação política.

A incompetência governamental tende a desaparecer durante o novo século, pois essa fraqueza, comparável à das igrejas e outras instituições culturais e educacionais do passado, constitui o verdadeiro motivo do atraso socioeconômico das nações, classificadas como de categoria inferior. A pretensão de todos é sair do desespero das desigualdades, que levam a legião de excluídos aos elevados patamares da violência e da criminalidade.

Existe a esperança de que as situações desastrosas vividas durante o século passado sejam contornadas pelo amor, pela compreensão e pela boa vontade dos homens a partir do século XXI.

No campo científico, as sondas de exploração espacial Voyageur I e II já passaram por Júpiter, Urano e Netuno.

Agora, viajando a 12 bilhões de quilômetros de distância, a Voyageur I vai chegar nesses três anos ao primeiro marco da fronteira do Sistema Solar, e depois rumará para o espaço interestelar.

Mantendo contato com a Terra e enviando preciosas informações ao homem, a nave, até o ano de 2020, poderá ser a primeira a deixar o limite da influência do sol, inaugurando a era das viagens interestelares.

No final do século XX houve um fato que marcou o mundo: o genoma humano, o mais assombroso mapeamento já produzido.

Nos próximos anos, esse fenômeno contribuirá para tratamentos de saúde e longevidade até então jamais imaginados. A primeira experiência de clonagem em animais foi realizada com sucesso — a ovelha "Dolly". Esse fato encorajou outros países a desenvolver esse sistema. Agora, anuncia-se que em setembro de 2001 médicos italianos procederão à clonagem do primeiro bebê, na história da humanidade.

"É preciso eliminar os mal-entendidos entre a fé e a ciência."

Galileu Galilei

Oráculo XXI

Introdução ao Oráculo XXI

Desde a Antiguidade o homem busca, durante a sua existência, as verdades da vida e a felicidade, tem desejos, demandas e a curiosa necessidade de entender fatos vivenciais.

Devido ao seu conhecimento evolutivo e otimizado, o homem recebe elucidações misteriosas que não lhe satisfazem.

O Oráculo XXI aborda, em seu conteúdo, perguntas atualizadas sobre temas preferidos pelos leitores, que receberão respostas de acordo com sua sorte indicada na Roda da Fortuna e do Amor.

Dispensa a interpretação de terceiros, como acontece na cartomancia, no tarô, nos búzios, nas runas e em outros jogos.

Ninguém conhece de verdade as razões da nossa existência; quem é mais questionador procura entender os fatos da vida e faz capciosas perguntas a si mesmo:

— De onde viemos?
— Para que vivemos?
— Por que sofremos?
— Pagamos os pecados de outros?
— Por que o amor, o desejo e o sexo?
— Por que a riqueza e a miséria?
— Por que os conflitos e as guerras?
— Por que o poder e as injustiças?
— Por que as vantagens políticas?
— Por que morremos?

— Para onde iremos?
— Por que as diferenças da sorte?
— Reencarnação, ressurreição ou nada?
— Por que a inteligência e a ignorância inatas?
— Será Deus a natureza, ou essa será Deus?
— Por que proveta, clonagem e genoma?

Tabela Pitagórica dos Números

Número	Positividade	Negatividade
1	Autoconhecimento, inícios, princípios.	Isolamento.
2	Equilíbrio, bom para casais.	Estagnação.
3	Alegria, expansão, rapidez, comunicação.	Despreocupação, problemas financeiros.
4	Segurança, organização.	Teimosia, excesso.
5	Liberdade, aventura.	Cansaço, mudanças.
6	Amor, harmonia, beleza, família, bondade.	Altruísmo demasiado.
7	Sabedoria, espiritualidade.	Queda financeira, solidão.
8	Facilidade para ganhar prestígio, liderança.	Autoritarismo, excesso de trabalho.
9	Filantropia, humanitarismo.	Alienação.

A filosofia dos números é baseada na "Lei dos opostos", os conhecimentos da sabedoria atlante estudados pelos sacerdotes nos templos egípcios. Esses sacerdotes cultuavam os pensamentos como:

1 — Simples e compreensível.
2 — Simbólico e figurado.
3 — Sagrado e místico.

Índice das perguntas

	Perguntas I
01 – Quem eu amo me ama?	01
02 – Como está seu coração?	02
03 – Tem ciúmes de mim?	03
04 – Tem outra pessoa?	04
05 – Ama outra pessoa?	05
06 – Como está meu amor no momento?	06
07 – Viverá com outra pessoa?	07
08 – Receberei notícias boas?	08
09 – Entrará em contato comigo?	09
10 – Irá ao meu encontro?	10

Como consultar e obter respostas do Oráculo

1 — Escolha uma das 180 perguntas relacionadas nas páginas XXXI, XXXIII, XXXV, XXXVII, XXXIX, XLI, XLIII.

Suponhamos que você tenha escolhido a pergunta de número 5: "Ama outra pessoa?".

2 — Para buscar o seu número da sorte, gire o dedo indicador sobre a Roda Numerológica, na página V, ou sobre a Roda Zodiacal, na última página deste volume.

3 — Sem olhar, pare o dedo em cima de um número da Roda da Fortuna e do Amor. Se sua sorte indicou o número 6, memorize-o.

4 — Busque a repetição do número 6 situado no topo da tabela indicativa das respostas, na próxima página.

Tabela indicativa das respostas

II	1	2	3	4	5	6	7	8	9	10	11	12	II
1	122	123	124	125	126	127	128	129	130	131	132	133	1
2	123	124	125	126	127	128	129	130	131	132	133	134	2
3	125	126	127	128	129	130	131	132	133	134	135	136	3
4	128	129	130	131	132	133	134	135	136	137	138	139	4
5	129	130	131	132	133	134	135	136	137	138	139	140	5
6	132	133	134	135	136	137	138	139	140	141	142	143	6
7	131	132	133	134	135	136	137	138	139	140	141	142	7
8	133	134	135	136	137	138	139	140	141	142	143	144	8
9	134	135	136	137	138	139	140	141	142	143	144	145	9
10	135	136	137	138	139	140	141	142	143	144	145	146	10

5 — Na confluência dos números 5 e 6, você encontrará 134, página que indica, para o seu número da sorte 6, a resposta do Oráculo:

> *"Não desconfie, a sua paixão não tem por outro o desejo que sente por você".*

Obs.: Não é aconselhável repetir uma pergunta várias vezes no mesmo dia.

Evite o que aconteceu com Simplício Sensorti, que assim procedeu e sofreu um ataque crônico de azar por longo tempo.

Perguntas I	
01 — Quem eu amo me ama?	01
02 — Como está seu coração?	02
03 — Tem ciúmes de mim?	03
04 — Tem outra pessoa?	04
05 — Ama outra pessoa?	05
06 — Como está meu amor no momento?	06
07 — Viverá com outra pessoa?	07
08 — Receberei notícias boas?	08
09 — Entrará em contato comigo?	09
10 — Irá ao meu encontro?	10
11 — Fará sacrifícios?	11
12 — A quem prefere mais?	12
13 — Eu lhe convenci?	13
14 — Sentiu-se ofendido?	14
15 — Tem desejos?	15
16 — Acredita em fofocas?	16
17 — Existe o arrependimento?	17
18 — Voltará para o antigo romance?	18
19 — Será infiel?	19
20 — Por que não se casa?	20
21 — Irá me trair?	21
22 — Orgulha-se do meu amor?	22
23 — Meu procedimento lhe agrada?	23
24 — Poderei lhe reconquistar?	24
25 — Para onde foi meu amor?	25
26 — Onde encontrar quem procuro?	26
27 — Irá para outro lugar?	27

II	1	2	3	4	5	6	7	8	9	10	11	12	II
1	122	123	124	125	126	127	128	129	130	131	132	133	1
2	123	124	125	126	127	128	129	130	131	132	133	134	2
3	125	126	127	128	129	130	131	132	133	134	135	136	3
4	128	129	130	131	132	133	134	135	136	137	138	139	4
5	129	130	131	132	133	134	135	136	137	138	139	140	5
6	132	133	134	135	136	137	138	139	140	141	142	143	6
7	131	132	133	134	135	136	137	138	139	140	141	142	7
8	133	134	135	136	137	138	139	140	141	142	143	144	8
9	134	135	136	137	138	139	140	141	142	143	144	145	9
10	135	136	137	138	139	140	141	142	143	144	145	146	10
11	136	137	138	139	140	141	142	143	144	145	146	147	11
12	137	138	139	140	141	142	143	144	145	146	147	148	12
13	138	139	140	141	142	143	144	145	146	147	148	149	13
14	139	140	141	142	143	144	145	146	147	148	149	150	14
15	140	141	142	143	144	145	146	147	148	149	150	151	15
16	126	127	128	129	130	131	132	133	134	135	136	137	16
17	127	128	129	130	131	132	133	134	135	136	137	138	17
18	130	131	132	133	134	135	136	137	138	139	140	141	18
19	142	143	144	145	146	147	148	149	150	151	152	153	19
20	141	142	143	144	145	146	147	148	149	150	151	152	20
21	124	125	126	127	128	129	130	131	132	133	134	135	21
22	143	144	145	146	147	148	149	150	151	152	153	154	22
23	144	145	146	147	148	149	150	151	152	153	154	155	23
24	145	146	147	148	149	150	151	152	153	154	155	156	24
25	150	151	152	153	154	155	156	157	158	159	160	161	25
26	62	63	64	65	66	67	68	69	70	71	72	73	26
27	63	64	65	66	67	68	69	70	71	72	73	74	27

Perguntas II	
28 — Quando voltará?	01
29 — Convém a sua volta?	02
30 — Quais são suas intenções?	03
31 — Vai afastar-se de mim?	04
32 — É conveniente lutar?	05
33 — Acredita no meu amor?	06
34 — Confia em mim?	07
35 — Por que está triste?	08
36 — Existem crises?	09
37 — Tem alguma doença?	10
38 — Tem rancores?	11
39 — Por que não se entrega?	12
40 — Devo dar-lhe o que deseja?	13
41 — Deixará de me ver?	14
42 — Do que mais gosta?	15
43 — Do que menos gosta?	16
44 — O que atraiu meu coração?	17
45 — Haverá sedução?	18
46 — Devo acreditar em suas palavras?	19
47 — O que exige na separação?	20
48 — Como encara o sexo?	21
49 — Como vê a beleza?	22
50 — Devo procurar outra pessoa?	23
51 — Terei boa sorte?	24
52 — Precisa de ajuda?	25
53 — Tem ajuda familiar?	26
54 — Procura vida melhor?	27

IV	1	2	3	4	5	6	7	8	9	10	11	12	IV
1	64	65	66	67	68	69	70	71	72	73	74	75	1
2	65	66	67	68	69	70	71	72	73	74	75	76	2
3	50	51	52	53	54	55	56	57	58	59	60	01	3
4	68	69	70	71	72	73	74	75	76	77	78	79	4
5	86	87	88	89	90	91	92	93	94	95	96	97	5
6	66	67	68	69	70	71	72	73	74	75	76	77	6
7	67	68	69	70	71	72	73	74	75	76	77	78	7
8	74	75	76	77	78	79	80	81	82	83	84	85	8
9	52	53	54	55	56	57	58	59	60	01	02	03	9
10	23	24	25	26	27	28	29	30	31	32	33	34	10
11	61	62	63	64	65	66	67	68	69	70	71	72	11
12	49	50	51	52	53	54	55	56	57	58	59	60	12
13	77	78	79	80	81	82	83	84	85	86	87	88	13
14	13	14	15	16	17	18	19	20	21	22	23	24	14
15	54	55	56	57	58	59	60	01	02	03	04	05	15
16	55	56	57	58	59	60	01	02	03	04	05	06	16
17	53	54	55	56	57	58	59	60	01	02	03	04	17
18	58	59	60	01	02	03	04	05	06	07	08	09	18
19	59	60	01	02	03	04	05	06	07	08	09	10	19
20	76	77	78	79	80	81	82	83	84	85	86	87	20
21	75	76	77	78	79	80	81	82	83	84	85	86	21
22	78	79	80	81	82	83	84	85	86	87	88	89	22
23	79	80	81	82	83	84	85	86	87	88	89	90	23
24	80	81	82	83	84	85	86	87	88	89	90	91	24
25	82	83	84	85	86	87	88	89	90	91	92	93	25
26	83	84	85	86	87	88	89	90	91	92	93	94	26
27	84	85	86	87	88	89	90	91	92	93	94	95	27

Perguntas III	
55 — Sente-se como objeto sexual?	01
56 — Sua dúvida é real?	02
57 — Terei sucesso?	03
58 — Como é seu coração?	04
59 — Gosta de seu trabalho?	05
60 — Sabe economizar?	06
61 — Gosta de jogar?	07
62 — Viveremos em paz?	08
63 — Terei sucesso no trabalho?	09
64 — Quais são os problemas?	10
65 — É volúvel?	11
66 — Quem oferece mais vantagens?	12
67 — A quem é melhor se unir?	13
68 — Quem tem mais sorte?	14
69 — Quem está mais feliz?	15
70 — Me casarei?	16
71 — É compromisso ou passatempo?	17
72 — Vão unir-se?	18
73 — Quem atrapalha a união?	19
74 — O que mais aprecia na mulher?	20
75 — O que mais aprecia no homem?	21
76 — A família aceita meu parceiro?	22
77 — Existe rival entre nós?	23
78 — Pensa em sexo?	24
79 — Qual é seu fetiche?	25
80 — Minha paixão é conhecida?	26
81 — Nosso relacionamento vai durar?	27

VI	1	2	3	4	5	6	7	8	9	10	11	12	VI
1	85	86	87	88	89	90	91	92	93	94	95	96	1
2	87	88	89	90	91	92	93	94	95	96	97	98	2
3	88	89	90	91	92	93	94	95	96	97	98	99	3
4	146	147	148	149	150	151	152	153	154	155	156	157	4
5	147	148	149	150	151	152	153	154	155	156	157	158	5
6	148	149	150	151	152	153	154	155	156	157	158	159	6
7	149	150	151	152	153	154	155	156	157	158	159	160	7
8	89	90	91	92	93	94	95	96	97	98	99	100	8
9	90	91	92	93	94	95	96	97	98	99	100	101	9
10	81	82	83	84	85	86	87	88	89	90	91	92	10
11	69	70	71	72	73	74	75	76	77	78	79	80	11
12	70	71	72	73	74	75	76	77	78	79	80	81	12
13	71	72	73	74	75	76	77	78	79	80	81	82	13
14	73	74	75	76	77	78	79	80	81	82	83	84	14
15	72	73	74	75	76	77	78	79	80	81	82	83	15
16	121	122	123	124	125	126	127	128	129	130	131	132	16
17	03	04	05	06	07	08	09	10	11	12	13	14	17
18	14	15	16	17	18	19	20	21	22	23	24	25	18
19	15	16	17	18	19	20	21	22	23	24	25	26	19
20	09	10	11	12	13	14	15	16	17	18	19	20	20
21	10	11	12	13	14	15	16	17	18	19	20	21	21
22	152	153	154	155	156	157	158	159	160	161	162	163	22
23	11	12	13	14	15	16	17	18	19	20	21	22	23
24	12	13	14	15	16	17	18	19	20	21	22	23	24
25	154	155	156	157	158	159	160	161	162	163	164	165	25
26	151	152	153	154	155	156	157	158	159	160	161	162	26
27	16	17	18	19	20	21	22	23	24	25	26	27	27

Perguntas IV	
82 — Vai ausentar-se?	01
83 — A ausência prejudica o amor?	02
84 — Vai ser feliz a união?	03
85 — Quem vou preferir?	04
86 — Quem lhe quer mais?	05
87 — Tenta confundir sua cabeça?	06
88 — Minha filha é amada?	07
89 — Gosta da noite?	08
90 — Como está seu sistema nervoso?	09
91 — Qual é seu lazer preferido?	10
92 — Deve rever seus conceitos?	11
93 — Serei feliz?	12
94 — Minha família continuará unida?	13
95 — O que devemos esperar do século XXI?	14
96 — De que gosta?	15
97 — Minha família será feliz?	16
98 — O que pensa do poder?	17
99 — Conseguirei algum poder?	18
100 — Como encarar os conflitos sociais?	19
101 — O que lhe desgosta?	20
102 — O que acontece com o poder?	21
103 — Existe paz no trabalho?	22
104 — De onde viemos?	23
105 — Para onde irão nossas almas?	24
106 — De que modo o poder lhe atinge?	25
107 — Tem ilusões?	26
108 — Tem esperanças?	27

VIII	1	2	3	4	5	6	7	8	9	10	11	12	VIII
1	20	21	22	23	24	25	26	27	28	29	30	31	1
2	19	20	21	22	23	24	25	26	27	28	29	30	2
3	36	37	38	39	40	41	42	43	44	45	46	47	3
4	161	162	163	164	165	166	167	168	169	170	171	172	4
5	159	160	161	162	163	164	165	166	167	168	169	170	5
6	160	161	162	163	164	165	166	167	168	169	170	171	6
7	155	156	157	158	159	160	161	162	163	164	165	166	7
8	48	49	50	51	52	53	54	55	56	57	58	59	8
9	41	42	43	44	45	46	47	48	49	50	51	52	9
10	156	157	158	159	160	161	162	163	164	165	166	167	10
11	157	158	159	160	161	162	163	164	165	166	167	168	11
12	42	43	44	45	46	47	48	49	50	51	52	53	12
13	43	44	45	46	47	48	49	50	51	52	53	54	13
14	02	03	04	05	06	07	08	09	10	11	12	13	14
15	31	32	33	34	35	36	37	38	39	40	41	42	15
16	32	33	34	35	36	37	38	39	40	41	42	43	16
17	34	35	36	37	38	39	40	41	42	43	44	45	17
18	29	30	31	32	33	34	35	36	37	38	39	40	18
19	30	31	32	33	34	35	36	37	38	39	40	41	19
20	33	34	35	36	37	38	39	40	41	42	43	44	20
21	40	41	42	43	44	45	46	47	48	49	50	51	21
22	01	02	03	04	05	06	07	08	09	10	11	12	22
23	06	07	08	09	10	11	12	13	14	15	16	17	23
24	07	08	09	10	11	12	13	14	15	16	17	18	24
25	35	36	37	38	39	40	41	42	43	44	45	46	25
26	08	09	10	11	12	13	14	15	16	17	18	19	26
27	05	06	07	08	09	10	11	12	13	14	15	16	27

Perguntas V	
109 — Crê na justiça?	01
110 — O que pensa da feminilidade atual?	02
111 — Você é solidário ao próximo?	03
112 — Você tem equilíbrio?	04
113 — Guarda boas recordações?	05
114 — Sofre angústias?	06
115 — Por que o arrefecimento sexual?	07
116 — Como encara o bissexualismo?	08
117 — A democracia lhe agrada?	09
118 — Qual seu conceito sobre a moral?	10
119 — A verdade existe?	11
120 — Qual o nosso conceito de liberdade?	12
121 — Porque nos apaixonamos?	13
122 — Você acompanha a evolução?	14
123 — Você discute ou silencia?	15
124 — Você tem coragem?	16
125 — Como definir a religião?	17
126 — Tem visões para o futuro?	18
127 — Como ter vida saudável?	19
128 — Vive intensamente?	20
129 — O que causa mais revolta?	21
130 — Temos medo do perigo?	22
131 — Desiste facilmente?	23
132 — Vou enviuvar?	24
133 — Vou ter filhos?	25
134 — Por que vivemos?	26
135 — Meus filhos serão saudáveis e inteligentes?	27

X	1	2	3	4	5	6	7	8	9	10	11	12	X
1	04	05	06	07	08	09	10	11	12	13	14	15	1
2	51	52	53	54	55	56	57	58	59	60	01	02	2
3	39	40	41	42	43	44	45	46	47	48	49	50	3
4	37	38	39	40	41	42	43	44	45	46	47	48	4
5	162	163	164	165	166	167	168	169	170	171	172	173	5
6	153	154	155	156	157	158	159	160	161	162	163	164	6
7	38	39	40	41	42	43	44	45	46	47	48	49	7
8	35	36	37	38	39	40	41	42	43	44	35	36	8
9	46	47	48	49	50	51	52	53	54	55	56	57	9
10	26	27	28	29	30	31	32	33	34	35	36	37	10
11	27	28	29	30	31	32	33	34	35	36	37	38	11
12	28	29	30	31	32	33	34	35	36	37	38	39	12
13	47	48	49	50	51	52	53	54	55	56	57	58	13
14	21	22	23	24	25	26	27	28	29	30	31	32	14
15	18	19	20	21	22	23	24	25	26	27	28	29	15
16	17	18	19	20	21	22	23	24	25	26	27	28	16
17	158	159	160	161	162	163	164	165	166	167	168	169	17
18	22	23	24	25	26	27	28	29	30	31	32	33	18
19	57	58	59	60	01	02	03	04	05	06	07	08	19
20	56	57	58	59	60	01	02	03	04	05	06	07	20
21	163	164	165	166	167	168	169	170	171	172	173	174	21
22	164	165	166	167	168	169	170	171	172	173	174	175	22
23	111	112	113	114	115	116	117	118	119	120	61	62	23
24	112	113	114	115	116	117	118	119	120	61	62	63	24
25	102	103	104	105	106	107	108	109	110	111	112	113	25
26	103	104	105	106	107	108	109	110	111	112	113	114	26
27	104	105	106	107	108	109	110	111	112	113	114	115	27

Perguntas VI	
136 — Por que os destinos são desiguais?	01
137 — Qual seu objetivo na vida?	02
138 — Por que sofremos na Terra?	03
139 — O que mais importa na vida?	04
140 — Quais as dificuldades na vida?	05
141 — Devo executar o novo projeto?	06
142 — Os negócios vão progredir?	07
143 — Terei lucros?	08
144 — Serei rico?	09
145 — Perderei o que tenho?	10
146 — A situação vai melhorar?	11
147 — Haverá prosperidade?	12
148 — Terei ajuda e proteção?	13
149 — Podemos mudar algo na vida?	14
150 — Tenho bons amigos?	15
151 — Devo aceitar conselhos?	16
152 — Devo confiar nas pessoas?	17
153 — Os segredos serão mantidos?	18
154 — Por que as diferenças de sorte?	19
155 — Existe concorrência?	20
156 — Ganharei a causa?	21
157 — Conseguirei exportar?	22
158 — Devo terceirizar?	23
159 — Conseguirei melhor trabalho?	24
160 — A sociedade nos negócios funciona?	25
161 — O que pensar de Deus?	26
162 — Serei autônomo?	27

XII	1	2	3	4	5	6	7	8	9	10	11	12	XII
1	105	106	107	108	109	110	111	112	113	114	115	116	1
2	171	172	173	174	175	176	177	178	179	180	121	122	2
3	115	116	117	118	119	120	61	62	63	64	65	66	3
4	99	100	101	102	103	104	105	106	107	108	109	110	4
5	100	101	102	103	104	105	106	107	108	109	110	111	5
6	93	94	95	96	97	98	99	100	101	102	103	104	6
7	94	95	96	97	98	99	100	101	102	103	104	105	7
8	95	96	97	98	99	100	101	102	103	104	105	106	8
9	96	97	98	99	100	101	102	103	104	105	106	107	9
10	97	98	99	100	101	102	103	104	105	106	107	108	10
11	176	177	178	179	180	121	122	123	124	125	126	127	11
12	92	93	94	95	96	97	98	99	100	101	102	103	12
13	106	107	108	109	110	111	112	113	114	115	116	117	13
14	107	108	109	110	111	112	113	114	115	116	117	118	14
15	108	109	110	111	112	113	114	115	116	117	118	119	15
16	109	110	111	112	113	114	115	116	117	118	119	120	16
17	173	174	175	176	177	178	179	180	121	122	123	124	17
18	172	173	174	175	176	177	178	179	180	121	122	123	18
19	177	178	179	180	121	122	123	124	125	126	127	128	19
20	178	179	180	121	122	123	124	125	126	127	128	129	20
21	117	118	119	120	61	62	63	64	65	66	67	68	21
22	116	117	118	119	120	61	62	63	64	65	66	67	22
23	110	111	112	113	114	115	116	117	118	119	120	61	23
24	120	61	62	63	64	65	66	67	68	69	70	71	24
25	118	119	120	61	62	63	64	65	66	67	68	69	25
26	119	120	61	62	63	64	65	66	67	68	69	70	26
27	44	45	46	47	48	49	50	51	52	53	54	55	27

Perguntas VII	
163 — Atingirei meu objetivo?	01
164 — Como nasceu o pecado?	02
165 — Conseguirei fortuna?	03
166 — Ganharei dinheiro no jogo?	04
167 — Que carreira convém seguir?	05
168 — Ficarei doente?	06
169 — Viverei muitos anos?	07
170 — Por que nos irritamos?	08
171 — Conservarei a riqueza?	09
172 — Existe vida após a morte?	10
173 — O mal é grave?	11
174 — Terei herança?	12
175 — O próximo ano será bom e produtivo?	13
176 — O seu relacionamento é bom?	14
177 — Haverá boas relações no trabalho?	15
178 — Como enfrentar a separação?	16
179 — Acredita na máquina política?	17
180 — O que pensar da reencarnação?	18

XIV	1	2	3	4	5	6	7	8	9	10	11	12	XIV
1	60	01	02	03	04	05	06	07	08	09	10	11	1
2	45	46	47	48	49	50	51	52	53	54	55	56	2
3	98	99	100	101	102	103	104	105	106	107	108	109	3
4	175	176	177	178	179	180	121	122	123	124	125	126	4
5	91	92	93	94	95	96	97	98	99	100	101	102	5
6	101	102	103	104	105	106	107	108	109	110	111	112	6
7	170	171	172	173	174	175	176	177	178	179	180	121	7
8	180	121	122	123	124	125	126	127	128	129	130	131	8
9	179	180	121	122	123	124	125	126	127	128	129	130	9
10	174	175	176	177	178	179	180	121	122	123	124	125	10
11	24	25	26	27	28	29	30	31	32	33	34	35	11
12	113	114	115	116	117	118	119	120	61	62	63	64	12
13	114	145	116	117	118	119	60	61	62	63	64	65	13
14	165	166	167	168	169	170	171	172	173	174	175	176	14
15	166	167	168	169	170	171	172	173	174	175	176	177	15
16	167	168	169	170	171	172	173	174	175	176	177	178	16
17	168	169	170	171	172	173	174	175	176	177	178	179	17
18	169	170	171	172	173	174	175	176	177	178	179	180	18

Respostas do Oráculo

O total de 2.160 respostas, contidas nas páginas 1 a 180, poderá ajudá-lo a esclarecer dúvidas referentes às perguntas selecionadas neste Oráculo.

— 1 —

1 — O trabalho produtivo requer paz e, com a alegria que reina, duplica os resultados.

2 — Pode atingir seu objetivo, se você não desperdiçar seu tempo com bobagens.

3 — Muito em breve haverá separação, por culpa dos dois. Com tantas mentiras, entraram na fase da desilusão.

4 — Segundo marca o feliz destino, vai conquistar seus favores.

5 — Para ter saúde a mulher limpa seu organismo com a necessária menstruação e o bom orgasmo.

6 — Para aumentar a intensidade e fazer bons negócios, nossa visita pessoal aos clientes especiais é essencial.

7 — Não gosta do pouco valor que lhe dá; já acredita que está tudo acabado.

8 — Gosta muito da beleza que ostenta, mas logo passará por uma tormenta.

9 — O que lhe atraiu foi sua bondade, que afasta qualquer tipo de tempestade.

10 — Sofre por ver seu primeiro amor sair com outro.

11 — A mulher moderna fala da parte mais íntima de seu corpo e gosta de ser tocada.

12 — Não agiu com má intenção; inimigos inventaram algo sobre isso.

— 2 —

1 — O império norte-americano continuará liderando o mundo, com sua força político-econômica.

2 — Trabalhar com tristeza e sob pressão não é possível, nem para mim, nem para os revoltados.

3 — Tenha o otimismo necessário para obter ânimo e se dedicar à busca de seus objetivos.

4 — Hoje o destino está mudado; tenha cuidado: não acredite no que dizem.

5 — É prudente e sabe se conduzir; boa cabeça não se deixa levar.

6 — Devemos criar nossos filhos como bons esportistas: aulas de futebol, basquete, natação e desenvolvimento do espírito de grupo.

7 — A intensidade do amor dos avós para com os pais, e destes para com os filhos, confirma: duas gerações foram bem criadas.

8 — Não gosta de ser tratado como uma aventura e, assim, deseja receber mais ternura.

9 — Creia que será sempre maior castigo sentir que prefere ficar com o perigo.

10 — Seu coração foi atraído na terça-feira, com esperança de amar na sexta-feira.

11 — Pode ser que o cruel destino arme separação e desatino.

12 — Gosta de ver a mulher extasiada quando vê o atual livro "O monólogo das Vaginas".

— 3 —

1 — Sua paixão e seu interesse são somente para se divertir.

2 — Os países ricos ficarão cada vez mais poderosos, enquanto os emergentes se tornarão mais pobres.

3 — O trabalho só é feliz quando é gratificante, dá valor e oferece oportunidades de progresso.

4 — Para atingir seus objetivos trabalhe algumas horas a mais, não esmoreça e seja persistente.

5 — Tenha certeza, pode muito acreditar: com confiança, pode dormir e sonhar.

6 — Ao seu encontro parte feliz, desde que sua virgindade seja respeitada.

7 — Mesmo depois de certa idade, é importante que as pessoas continuem se exercitando bastante.

8 — Os resultados aumentam mais quando os negócios de exportação são mais intensos.

9 — Não gosta de suas investidas; suas taras são muito repetidas.

10 — Gosta de unir o útil ao agradável; traz com sua beleza o interesse.

11 — A beleza de seu rosto e a de seu corpo, combinadas, causam sensação.

12 — O bom destino logo lhe oferecerá a melhor sorte que você merece.

— 4 —

1 — O ditado diz que a justiça é cega; antes de Jesus, os juízes já protegiam os donos das cabras.

2 — Do seu amor somente faz alarde; outras aventuras quer de verdade.

3 — O líder recomenda democracia e vende armas, causa destruição e lucra com a reconstrução.

4 — No século XXI, para se ter paz e sucesso no trabalho, a idéia de sacrifício é aceitável.

5 — Aja com decisão, enfrentando seu objetivo, e ganhe a metade do caminho, com otimismo.

6 — Nos amores em que você acreditou, nenhum até agora lhe completou.

7 — Evita a sedução com inteligência, e despacha com magia quem vem enganar.

8 — Muitas frutas, legumes, vegetais e carne magra, mais o carinho da mãe, são responsáveis pela saúde dos filhos.

9 — A intensa politicagem nacional caiu no descrédito geral da população.

10 — Há muito não gosta de tantas queixas, e marca encontro com suas deixas.

11 — O destino sempre traz muitas flores, cada um gosta de escolher suas cores.

12 — O seu amor tão desinteressado atraiu seu coração com agrado.

— 5 —

1 — Não existe melhor remédio que a esperança, que promete e incentiva expectativa futura.

2 — Os processos representam a vida do homem, e a justiça é um símbolo da queda da razão.

3 — Ele deseja você, mas tem na cabeça que só precisa se divertir.

4 — Esperamos dificuldades econômico-financeiras mais acentuadas devido à nossa incapacidade.

5 — Meu desenvolvimento no trabalho é maior quando resultados aparecem com distribuições.

6 — Se você começar já, certamente conseguirá atingir seu pleno objetivo.

7 — A falha de hoje se repete todos os dias; agora acreditar em melhorias está fora de cogitação.

8 — Pensa em seduzir e vem com esse desejo; de tanto insistir, vai perder a sua amizade.

9 — A reeducação alimentar e exercícios são fundamentais; contribuem para a formação de um corpo mais saudável.

10 — A corrupção intensa prejudica muito a nação e impossibilita o avanço das medidas de cunho social.

11 — Surpreende-se com seu amor brega; dessa maneira a ele não se entrega.

12 — Gosta da sensação de perigo que sente quando está contigo.

— 6 —

1 — Podemos ter vindo dos jardins suspensos do Éden, ou do sistema evolutivo iniciado pelo "Big-bang".

2 — Temos a esperança, que não depende de algo sem lógica, e sim do nosso pensamento positivo.

3 — A justiça social reveste-se de normalidade e, na sua ambigüidade, mostra o comportamento do próximo.

4 — Está entre o sim e o não; não decide calculando como você será mais tarde.

5 — Devemos esperar a consolidação petrolífera, com novos oleodutos desde o mar Cáspio até a Europa.

6 — Distribuição de lucros e dividendos motivam sócios e diretores da S.A.

7 — Enfrente as dificuldades, defenda seu objetivo com alegria, afaste o sentimento de ansiedade.

8 — Algum tempo deve aguardar e estudar; depois acredite ou se afaste.

9 — Com paciência muito tempo vai esperar e, mesmo assim, na fila deverá entrar.

10 — Um corpo saudável se forma com boa alimentação, com exercícios e oito horas de sono reparador.

11 — Devemos viver a curta vida com intensidade, buscando alegria, desejo e troca.

12 — Não gosta do seu ciúme excessivo, que julga banal e opressivo.

— 7 —

1 — Ainda com vida, purgatório negociado, depois da morte, paraíso ou inferno.

2 — Viemos do pecado de Adão, pobre coitado, culpado; se tivesse sido batizado, não seríamos castigados.

3 — A esperança se constitui num pilar da vida, e sustenta os sonhos do homem que almeja.

4 — Já no Império Romano, o decurião, o centurião, o senador e o juiz tinham seu preço fixado.

5 — Não vai com você por lhe querer, e sim para atender seus caprichos.

6 — Devemos esperar a democratização vantajosa, do Cáucaso e da Xexênia, rota do lucro.

7 — Feliz é quem trabalha com valor e recebe mais que o suficiente, sem riscos.

8 — Atinja seu objetivo; não seja o pessimista, mero espectador, que sente, lamenta e não vira o jogo.

9 — Pode confiar em sua seriedade; seus olhos mostram a verdade.

10 — Doa a quem doer, chegou a hora; com amor, a sedução não demora.

11 — É preciso exercitar a mente para estar sempre alerta, para a beleza da vida e se livrar da estafa.

12 — Quando o ser amado fica muito tempo ausente, é melhor ter alguém que esteja presente, com mais intensidade.

— 8 —

1 — No decorrer da vida você descobrirá que o amor ideal é passageiro e ilusório.

2 — As almas vão para um além distante, de onde ninguém voltou para explicar.

3 — Viemos da ordenada e pacífica beleza espacial para a Terra, onde a massa vive em mistério e ignorância.

4 — Tenho bastante esperança para o sucesso, admiro meu velho cansado, que ainda luta.

5 — Partindo do princípio de que Deus é justo, passamos a não crer no juiz que nos castiga.

6 — Antes, prometia que assumiria compromisso; depois de transar, a idéia lhe desgosta.

7 — Podemos esperar mais alguns bloqueios militares e econômicos para calar a boca dos insubmissos.

8 — Trabalhar é bom quando traz a felicidade e a prosperidade, que pacificam o ambiente.

9 — Não fuja do seu objetivo de ser feliz; cultive o amor, dê e receba carinho.

10 — Não pode confiar no que diz, é o que o destino hoje prediz.

11 — Vai conseguir e, por ser o primeiro, a sedução vai lhe custar mais caro.

12 — Ser saudável é estar de bem com a vida, ouvir música, dançar e ter um amor agradável.

— 9 —

1 — Aprecia mais sua beleza invulgar, que fala mais alto que sua simpatia.

2 — A ilusão termina quando o sexo não toca mais o ser e não mais impulsiona o desejo.

3 — No espaço, o estoque de almas é menor do que o número de corpos reencarnados.

4 — Na realidade, ninguém sabe de onde viemos, pois não tem experiência no assunto.

5 — A esperança costuma trazer decepções; tenha cuidado com as excessivas facilidades.

6 — Devemos crer na razão e em nosso bom senso de justiça: são inatos e comuns às nossas almas.

7 — Bom é crer que tudo é sério, mas não acredite demais.

8 — Devemos esperar a continuidade do poder corrupto, dominador de ignorantes cabeças desarticuladas.

9 — Precisa ser feliz na empresa que ganha e deixar os capazes ganharem também.

10 — O seu objetivo número um deve ser sempre a busca da felicidade, com todas as pessoas queridas.

11 — Mentiras não escondem sua farsa; não tem sido honesto seu amor.

12 — Apesar de ser sedutor e bem valente, só aparece quando o titular está ausente.

— 10 —

1 — Bonito, alto, magro e rico é mais apreciado; quase todas estão à sua procura, se é que existe.

2 — O seu olhar é tão maravilhoso que, além de mim, fascina os demais.

3 — O homem sempre procura encontrar os seus desejos, perdidos na ilusão.

4 — As almas boas irão para o paraíso e as más para o inferno; esses desencontros criarão graves conflitos locais.

5 — Se o passado não pode ser modificado nem revelado, é segredo guardado.

6 — Acredite que a esperança é necessária e certa; não acredite no desespero perigoso e incerto.

7 — Devemos crer no princípio básico da justiça: "faça aos outros o que quer que lhe façam".

8 — Se você ainda duvida muito, parta logo para outra paixão.

9 — Devemos esperar o aumento da dívida externa, com juros impagáveis e dólares regulativos.

10 — Antes, exportação, trabalho e bom faturamento; depois, novo plano, somente importação, desemprego.

11 — Trabalhe, ame mais, mantenha a mente aberta, para melhorar sua condição de vida.

12 — Não acredite em suas palavras; mente hoje e amanhã, sem sofrer.

— 11 —

1 — Existe um rival que continua chato, liga fora de hora, ouve o "não" e insiste.

2 — Prefere o honesto e trabalhador, sempre cumpridor de seus compromissos familiares.

3 — No momento aprecia sua loirice, cabelos naturais e muita candura.

4 — Durante a existência você é marcado por seus sonhos e por muitas desilusões.

5 — Do outro lado da vida as almas serão infelizes: alguns pais sem filhos, parceiros desunidos, rebeliões à vista.

6 — Podemos ser frutos da natureza, que, em sua indiferença, não distingue o bem do mal.

7 — Quem tem esperanças vê o sucesso, outros vêem o fracasso; os primeiros vêem o pôr-do-sol, e os outros, as sombras.

8 — A justiça divina nos devolve o certo ou o errado que fazemos para os outros.

9 — Se você vai fundo no seu intento, verá que seu amor voa como o vento.

10 — Vamos continuar com salários de fome, caos social e capacidade tecnológica zero.

11 — Não há paz na sociedade que não oferece trabalho para uns e só vantagens aos outros.

12 — Viver em paz, ter prosperidade, amar e ser feliz — corra atrás desse objetivo.

— 12 —

1 — Beber, comer e transar: basta somente começar.

2 — Enquanto souber amar e estiver presente, esqueça os rivais e não esquente a cabeça.

3 — Aprecia, além das virtudes que possa ter, o suporte financeiro que traz para casa.

4 — Aprecia sua simpatia, que é irradiante, e outra qualidade se torna irrelevante.

5 — Tenha melhores ilusões sobre o futuro; não se preocupe com águas passadas.

6 — As almas boas irão para o paraíso de respeito; as almas más irão para o inferno de bagunças.

7 — Nosso destino pertence ao passado e, a sorte, ao futuro; vivemos sem o direito de escolha.

8 — Você deve tolerar a espera e cultivar sonhos; as esperanças impedem a destruição do mundo.

9 — Não podemos crer na justiça quando nós mesmos participamos de atos injustos.

10 — Por mais que seja ato jurado pelos dois, o compromisso jamais será honrado.

11 — Devemos esperar que, após todas as privatizações, somente restem as riquezas do subsolo.

12 — Acredite muito na sorte e trabalhe em paz; quanto maior a dedicação, mais sucesso terá.

— 13 —

1 — Quer amor, porém sem cicatrizes; sua procura é por dias bem felizes.

2 — Sempre teve boa atividade sexual, e isso depende do parceiro igual.

3 — Esse rival é de tamanha ternura que pode até roubar sua doçura.

4 — Aprecia seu modo de fazer amor, que acalma, traz paz e alegria.

5 — Gosta de seus seios voluptuosos, que se mostram fugidios no decote.

6 — Caminhe em direção aos seus sonhos alegres, tenha ilusões e viva feliz com sua imaginação.

7 — As almas fétidas do terceiro mundo, vítimas dos países ricos, irão para invisíveis satélites.

8 — Não é possível saber de onde viemos, mas gostaríamos de saber para onde nos levarão.

9 — A esperança e a ilusão mostram ao homem o verdadeiro sentido da vida que acaba.

10 — Creia na justiça cujos castigos são impostos tanto aos pobres como aos ricos, igualmente.

11 — Somente pelo compromisso mantém o falso carinho que mostra por você.

12 — Devemos aguardar o passamento de corruptos e esperar que funcione a nova geração.

— 14 —

1 — Antes de você ver esse dia chegar, deve se preparar muito para não sofrer.

2 — É necessário você lhe querer muito; somente poucos lhe dão prazer.

3 — Algumas pessoas acham que você é fogo; na verdade apenas retribua com fôlego.

4 — Desconhece se existe algum rival; se tem, não percebeu.

5 — Gosta de ser surpreendida com lembranças, flores, perfumes e presentes inesperados.

6 — Gosta quando passa de biquíni tão sumário, seu bumbum causa sensação aos presentes.

7 — Quando o experiente sofre mais uma desilusão, não se importa muito, já gozou sonhos da paixão.

8 — É possível que as almas desprovidas de amor, saúde e educação ainda irão para as favelas siderais onde continuarão pagando seu pecados.

9 — Viemos do celestial armazém de almas; por certo renascem os mortos e morrem os vivos.

10 — Acredito nas esperanças de mais alto valor para a minha geração e para as que virão.

11 — Acredite que aquele que comete injustiças será mais prejudicado do que quem as sofreu.

12 — Casar com você é sua intenção, mas teme amanhã a separação.

— 15 —

1 — Quem atrapalha a união, creia, é o amigão, que vira camaleão.

2 — Como você quer muito chegar a esse ponto, essa união amorosa com prazer vai se realizar.

3 — O fato vai acontecer com o tempo; o desejo conhece o bom momento.

4 — Fazer sexo é como dançar tango: precisa haver dois bons parceiros.

5 — Não sabendo quem é o rival insistente, fica tudo pendente.

6 — Aprecia muito a sua viril presença, motivo de orgulho perante as amigas.

7 — Sua blusa transparente mostra a sua apreciada cor morena.

8 — Você tem prazer quando sua ilusão se torna realidade e traz felicidade.

9 — As almas sofredoras, excluídas, desprovidas de educação e saúde, deverão ser merecedoras do paraíso.

10 — De planetas escolas, onde nos ensinam as experiências de vida e como voltar à prática.

11 — A esperança pode ser expressa pelo pálido entusiasmo de uma adolescente não sofrida.

12 — Precisamos ver para crer — a justiça funciona bem quando poderosos são castigados pela ordem da lei.

— 16 —

1 — Vai durar pouco a sua armação, que confunde toda nossa relação.

2 — Um imprevisível incidente, agora, não vai atrapalhar a possível união.

3 — Mudam-se por vezes as intenções de união quando se apresentam muitas ofertas.

4 — Diga o que você quer, que eu dou; se quiser que me vá, eu vou.

5 — É verdade que as mulheres buscam mais sexo, procuram o prazer e mais qualidade de vida.

6 — Existe rival só na sua imaginação; seu amor não dá atenção para ninguém.

7 — Demonstra o quanto ele é bom na cama e mostra que cada vez mais me ama.

8 — Por experiência prefere as morenas, por serem mais ardentes, quase sempre.

9 — Algumas vezes temos a ilusão de ter pensado certo mas ter agido errado.

10 — As almas cansadas pelo trabalho em cafezais e canaviais podem voltar ao indesejável solo das repúblicas de bananas.

11 — Viemos das nuvens do espaço para viver, sofrendo na busca da luz, até nossa morte.

12 — Temos a esperança como longa e incerta desilusão, a qual passamos a entender como ato do destino.

— 17 —

1 — A coragem não deve procurar a vingança; pode perdoar a ingratidão, que é passageira.

2 — Nossa relação é como o grande mar: mais que tudo na vida vai durar.

3 — Pode ser que nada abale nossa união, mesmo que alguém atrapalhe a situação.

4 — Primeiro confirmem se é seu destino se unirem por vontade e com prazer.

5 — Para os absurdos que você pede não há lógica, nem a alma cede.

6 — Namora uma pessoa com muito mais idade, com experiência, e juntos vivem suas fantasias.

7 — Para você não vai contar que existe rival, mesmo que antes tenha existido uma dezena.

8 — Gosta do seu gênio alegre, sempre disposto, e de viajar na companhia de quem ama.

9 — Aprecia durante o dia falar com a bela e, à noite, é claro, fazer amor com ela.

10 — As ilusões de felicidade são intervalos que temos entre os períodos de desilusão.

11 — As almas vítimas da Inquisição, do nazismo e de bombas atômicas, foram para abrigos em Marte.

12 — Viemos de bravas marés, despertadas pelo vento apressado, para breve estadia de medo.

— 18 —

1 — É muito melhor dialogar com o silêncio do que discutir com quem não entende.

2 — A coragem do homem se mostra bem quando se engole o fel da ingratidão.

3 — Vai durar tanto quanto você quiser, se com amor você continuar agradando.

4 — Quem tem ciúmes dessa união lutará para ver sua destruição.

5 — Pode ser que se unam, tal é a vontade deles de amar.

6 — Meus olhos aos seus pedidos vão além, somente por uma noite não faz bem.

7 — Ela põe o sexo na sua cabeça, ele põe a cabeça no seu sexo.

8 — Nem precisa perguntar: existe rival; isso é fato patente e bem claro.

9 — Aprecia muito seu bonitão, que só pensa em beber, comer, viajar, comprar, etc.

10 — Do jeito que está tão necessitado, aprecia tanto loira como morena, não se preocupa.

11 — Procedimentos equivocados, de afins, são os maiores responsáveis por nossas desilusões.

12 — Bloqueadas nos territórios de Cuba e do Iraque, pobres almas foram para os refúgios oceânicos.

— 19 —

1 — A ausência é como a morte do amor, enquanto a presença revive a paixão.

2 — Parta do princípio de que o silêncio serve de sabedoria para os tolos.

3 — Você não precisa ser um guerreiro brilhante para mostrar sua coragem.

4 — A situação vai durar sem contendas enquanto houver bastante paciência.

5 — O rival que você pensava ser obscuro pode desarrumar essa bela integração.

6 — A união logo sofrerá desenganos; assim, não passará de poucos anos.

7 — Mesmo que a gente não se veja muito, ainda existem bons desejos por você.

8 — Vá bem devagar nas questões de sexo; muito acelerado, poderá ser rechaçado.

9 — Se tem rival, e isso está certo, é esperto e não se faz de morto.

10 — Aprecia muito quando lhe beija na boca, o que marca o início de coisas mais gostosas.

11 — Aprecia muito uma loira de olhos verdes, que passou a ser a dona do seu coração.

12 — A felicidade do casal é mantida até que não sofram desilusões amorosas.

— 20 —

1 — Ausentar-se-á mais tempo do que você pensa, mas muito menos tempo do que você deseja.

2 — Sendo como é, tão gostoso, esse amor não será prejudicado.

3 — Discutir para quê? Você entende de uma maneira, o outro teima em sonhar.

4 — Tenha coragem para mostrar seu amor, não fique esperando até tarde demais.

5 — Durará bem o relacionamento, se não pensar em casamento.

6 — Tenha malícia: quem bate em suas costas arquiteta muito para pôr fim a essa união.

7 — Essa união não depende do destino, e sim do que farão os dois juntos.

8 — Se muito lhe deseja só em pensamento, pode esperar que tudo irá com o vento.

9 — Está em pleno vigor sexual e sonha em fazer sexo total.

10 — Existem rivais tanto lá como cá, e disputa em uma e outra parte.

11 — Aprecia suas carícias e seus beijos, que despertam sempre nosso desejo.

12 — Aprecia morena de olhos puxados, de corpo atraente, tão ardente que sugere uma transa bem quente.

— 21 —

1 — Quem não se recicla não se explica; quem não evolui é passado para trás.

2 — Não há de ser a ausência muito grande, pois a distância é amarga para os dois.

3 — Se mais tempo durar a sua ausência, poderá, pouco a pouco, trocar de amor.

4 — Existem raros momentos de entendimento: cada um decide de acordo com o seu desejo.

5 — Você deve impor suas idéias com coragem, não deve se acovardar diante do poder.

6 — Se o convívio for do seu agrado, não será dado como acabado.

7 — Ninguém vai atrapalhar essa união, a não ser que tenham muita indiscrição.

8 — Com você não tem sonhado muito, por isso se mantém distanciado.

9 — Deseje com força bastante para conseguir, e convencerá seu amor a lhe receber de volta.

10 — O cérebro é o "orgão sexual" mais importante: o prazer começa na cabeça da gente.

11 — Se você ama mesmo essa pessoa, algum rival você deve temer.

12 — Aprecia muito a simpatia e o amor, que dedica a mim e aos meus filhos.

— 22 —

1 — O futuro só a Deus pertence, mas os jovens precisam se preparar.

2 — A evolução existe desde o princípio, e o homem que pára no tempo se complica.

3 — Quando a sua ausência lhe descansa, o esperto conserva a distância.

4 — Quando estiver feliz com sua ausência, estará desmentindo tudo o que disse antes.

5 — Pau é pau, pedra é pedra, dois e dois são quatro, porém o teimoso duvida.

6 — O impacto da verdade eloqüente e nua deve superar a grande força da coragem.

7 — Como ainda sua paixão é bem leve, a qualquer dia pode ser que acabe.

8 — Enquanto a harmonia segurar a união, vai ser difícil encontrar oposição.

9 — Não tardará muitos dias para a união, que pode ser passageira; pense bem.

10 — Já desejou demais, agora se atrapalha; é incrível, mas não gosta de tanta malha.

11 — Como tem uma vida sexual bem ativa, vão chegar à velhice ainda com desejos.

12 — Existem alguns rivais receosos e quietos, bastante ocultos e medrosos.

— 23 —

1 — Parece estar em mau estado e agora a todos tem molestado.

2 — As visões do futuro são diferentes; os jovens esperam que a sorte venha, e os velhos a temem.

3 — A evolução do homem é grande para o mal — ele pode degradar 95% do meio ambiente em vinte anos.

4 — A ausência que lhe causa sofrimento com o tempo será o seu tormento.

5 — Sendo firme, ficará em sua presença, e o amor constante manterá a união.

6 — A sua verdade, quando não é explicada com as palavras certas, cria animosidade.

7 — É claro que temos coragem para conter os abusos de quem não ama.

8 — Do modo como você lhe entende, por muito tempo não haverá cenas.

9 — Rival de intenções contrárias poderá atravessar os sonhos de nossa união.

10 — Depois de algum tempo, vai se unir a um novo amor, de modo inesperado.

11 — Se você só tem perdido ao doar, não desista agora, enfrente outra dor de amor.

12 — O sexo, mesmo sendo ruim, torna-se bom, e as preliminares motivam sua ótima ação.

— 24 —

1 — A doença poderá ser fatal se não tiver o cuidado adequado.

2 — Mal de amor é o que você tem; outra paixão lhe fará bem.

3 — O passado foi melhor que o presente, que pode ser ainda melhor que o futuro, que é incerto.

4 — Após a bomba, a evolução das armas mortais foi grande: mísseis, submarinos atômicos, aviões invisíveis, etc.

5 — Agora pensa unicamente em se divertir; isso torna sua volta mais difícil.

6 — É possível que a ausência desbote o amor; volte logo para colorir essa boa relação.

7 — Quase sempre o opositor afirma o contrário daquilo em que você acredita; discutir não adianta.

8 — Temos a coragem cristã para ajudar quem precisa mais, na hora certa.

9 — Por mais que você se empenhe na união, outro aparecerá para roubar seu coração.

10 — Admiradores que surgem poderão trazer perigos para essa situação.

11 — Essa união muito esperada demorou para acontecer; agora não correrá perigo, pois se solidificou.

12 — Seu anjo falou baixinho, no ouvido, que seus desejos vão ser realizados.

— 25 —

1 — O movimento feminista iluminou a passagem para a emancipação da mulher, que hoje enfrenta tudo.

2 — O mal, por sorte, não é tão grave; felizmente a doença é curável.

3 — Mau gênio é sua única doença e está sempre buscando desavença.

4 — Tenha mais visão para o futuro — você se unirá com amor e deverá trabalhar mais.

5 — A evolução da moda é constante; vai sempre copiando e melhorando o sucesso do passado.

6 — Segundo o vento forte que sopra agora, sua volta poderá ser breve ou desviada.

7 — Os dois desejam romper agora, e só a ausência poderá ser o atual motivo.

8 — O certo para mim pode ser errado para o outro; é prudente não discutir cor, sexo, futebol e credos.

9 — Devemos ter coragem para enfrentar os deslizes amorosos que nos atormentam.

10 — A união pode ser por pouco tempo; com razão, deseja aproveitar.

11 — Ardente rival guarda amor, espera e não vê a hora de acontecer a desunião.

12 — Até o próximo eclipse da Lua ou do Sol, o tempo terá passado e nada de união.

— 26 —

1 — O milênio que terminou trouxe como conseqüência a velocidade das mudanças de moral, sem valor.

2 — A igualdade dos direitos sexuais está sendo reconhecida pelo feminismo liberal desde 1968.

3 — Ficará doente por mais tempo que pensava, mas vai recuperar a saúde muito de repente.

4 — A inconseqüência tem aqui sua presença: é a verdadeira causa de sua crônica irritação.

5 — Nós somos o amanhã do passado, que deve servir de exemplo para o futuro.

6 — A evolução do campo genético é grande e preocupa; o homem quer virar Deus com clonagem e genoma.

7 — Sua ausência é de verdade amarga, e a distância que nos separa é grande.

8 — Pela sua ausência existe respeito, porém ficar sem ninguém não aceita.

9 — De repente a verdade brilha inocente; você silenciou, não discutiu, ela surgiu.

10 — Idéias corretas aumentam a coragem; o homem fica forte quando tem razão.

11 — Essa relação será duradoura, pois a paixão foi a primeira.

12 — Quem deseja se unir, aguarda sua vez e, durante a lua crescente, talvez aconteça.

— 27 —

1 — Como é conhecido na antiga história grega, o sábio Diógenes saiu à procura da verdade e não a encontrou.

2 — A rígida moral que não é bem guardada se torna elástica, afrouxa e depois permite.

3 — Tanto o homem como a mulher têm direito de escolher com quem quer transar.

4 — Pode ter um fim desastroso; é relaxado e não ouve os conselhos do médico.

5 — Com extravagâncias a saúde pode perder; se não mudar, fim desastroso vai ter.

6 — Nossa vida conflita com o futuro; não durma pensando no que foi feito, só pense no que vai fazer.

7 — A globalização é a evolução do colonialismo; o domínio econômico lucra, sem ocupação militar.

8 — Não creia que a ausência vai durar, basta esperar que deseja sua volta.

9 — Fogo na água não acontece jamais; amor ausente é difícil demais.

10 — As discussões constantes acabam com o amor; o homem estressado chega pronto para discutir.

11 — Enquanto as decisões certas dão coragem, as más idéias contribuem para a derrota.

12 — Vai durar até o juízo final, seja para seu bem ou mal.

— 28 —

1 — Temos a liberdade para duvidar de princípios que nos foram impostos e seguir nosso próprio caminho.

2 — A verdade pode ter duas versões, uma correta para mim e outra muito desastrosa para você.

3 — O falso moralista é um enganador e segue o ditado: "Faça o que eu digo e não o que faço".

4 — A gente encara que as misturas válidas são somente café com leite, arroz com feijão e pão com manteiga.

5 — Como tem quem cuide bem de sua saúde e alimentação, o mal não será tão grave.

6 — Por tão pouco não esquente, dor de cotovelo é o que sente.

7 — Do passado restam momentos inesquecíveis e as lembranças nos ensinam sempre a lutar.

8 — A evolução nos leva à Lua, a Marte; talvez o poder já procure moradas não poluídas.

9 — Sua volta acontecerá logo, pois só se sente melhor ao seu lado.

10 — Muito em breve acabará o amor — é o que se entende pela ausência.

11 — As grandes fomes de amor são silenciosas; não se discutem posições.

12 — A coragem não aparece por acaso: é inata em quem tem espírito de luta.

— 29 —

1 — Para ter poder você deve ser cínico, político, nunca dizer não, prometer sempre dizer o sim.

2 — Usando critério, temos liberdade para agir de modo próprio e acertado.

3 — A verdade absoluta não existe; suas versões dependem bastante do ponto de vista de cada um.

4 — O moralista, em seu projeto próprio, recomenda água, porém bebe vinho.

5 — A liberação dos costumes está aceitando as condições de bissexualismo.

6 — Com o tempo e um bom médico, pode se curar com o remédio certo.

7 — Sofre de ciúme muito sério, e conhece todo seu mistério.

8 — Não podemos planejar o futuro pelo que aconteceu no passado, mas também não podemos repetir os erros.

9 — A evolução ocorre em todos os campos, até no amoroso.

10 — Vai ocorrer um raro contratempo, que alargará seu período de ausência.

11 — Para não sentir muito sua ausência, trocou você por uma amiga.

12 — Para não discutir com seu amor é preciso sempre brincar, criar fantasias e, às vezes, silenciar.

— 30 —

1 — A realidade mostra que os desempregados, os sem-teto e os sem-terra estão desesperados.

2 — Diplomacia, sociologia, Itamarati: estudar para poder conseguir.

3 — Temos liberdade para distinguir o verdadeiro do falso ou para discordar das opiniões dos outros.

4 — Vencer pela primeira vez é sorte, pela segunda é coincidência e a terceira só pode ser real.

5 — A moral tem em comum a educação e a cultura; o que é desprezado em um país, pode ser louvado em outro.

6 — Acho que alguns homens, apesar de nada terem contra as mulheres, preferem o mesmo sexo.

7 — Se remédios apropriados não lhe dão, somente Deus sabe onde vai chegar.

8 — Por alguém que lhe traiu no escuro, sofre e padece.

9 — A visão do futuro é que ele é quase igual ao presente, só que está mais distante.

10 — A evolução da informática está transformando o mundo; quase todos terão maiores conhecimentos.

11 — A sua falta já durou demais e você se sente deixado para trás.

12 — Se sua falta durar mais alguns meses, quando você voltar, não lhe reconhecerá.

— 31 —

1 — Indeciso entre dois pecados, gosta de escolher o novo ainda não tentado.

2 — É de se esperar conflitos graves e muitas greves numa nação de salários minimizados.

3 — Trabalhe muito, faça fortuna, fale bonito e eleja-se; a política traz as vantagens do poder.

4 — Temos liberdade para ouvir todas as notícias, ler todos os jornais e revistas e pensar diferente.

5 — O que era verdade no passado torna-se mentira no presente e pode ser dúvida no futuro.

6 — A moral das pessoas nem sempre prevalece quando as necessidades lhe golpeiam forte.

7 — O homossexual homem cultiva mais sua parte feminina e acha que a relação com homens é mais romântica.

8 — Se seu amor não sabe controlar o ciúme, terá sempre que provar sua boa intenção.

9 — A dor daquele o outro não sente; cada um sofre de modo diferente.

10 — Você não pode ficar pensando só no passado; sustente a visão de um futuro feliz com trabalho.

11 — Países eternamente emergentes não evoluirão; ignorantes, sem bom governo, sofrerão.

12 — Para voltar, pouco tem se empenhado; calculem só a beleza que deve ter encontrado.

— 32 —

1 — Bom casamento, filhos com saúde e inteligentes, boa renda, família feliz.

2 — Gosta de trocar idéias com gente experiente, inteligente e convincente.

3 — O salário mínimo vergonhoso determina forte caos social.

4 — Na empresa familiar trabalhe bastante, elogie as tarefas dos outros — politize mais.

5 — As importantes notícias podem ser dirigidas pelo poder; temos a liberdade de discordar.

6 — A verdade, mesmo que machuque outra pessoa, sempre servirá de alavanca para seu crescimento.

7 — A beleza da mulher sedutora eleva sua moral, ao se mostrar num seleto desfile social.

8 — Hoje as mulheres liberadas paqueram, namoram e desejam ir para a cama com outras mulheres.

9 — Se seu mal não incomoda você é porque ainda não se agravou.

10 — É certeza: em seu coração confia, seu mal não passa de melancolia.

11 — Tenha visão de um futuro feliz, com amor e harmonia em casa e no trabalho.

12 — A beleza e a atração sensual da mulher aumentaram com as facilidades da evolução.

— 33 —

1 — Não gosta quando vê mulheres tão maravilhosas e tem pouco tempo de vida.

2 — Mulher bonita, vaidosa, atraente, com o marido em situação difícil; família infeliz.

3 — Gosta da sua habilidade para reconhecer a capacidade daqueles que o cercam.

4 — Os conflitos sociais atingem muito nossa vida; sem segurança não sabemos como agir e fugir.

5 — A inversão de valores é uma verdade na vida; para quem mais trabalha, falta o jogo do poder.

6 — Tanto o homem como a mulher têm liberdade para escolher sua paixão.

7 — A mentira que dá ilusão de verdade passa no início, mas desmorona mais tarde.

8 — Hoje a moral é de fato volúvel e, como diz o ditado: "Conforme se toca, se dança".

9 — É sabido que não é de hoje que algumas mulheres gostam de transar com outras.

10 — A sua doença é pura imaginação; tire férias e acabe com a estafa.

11 — Sua doença está bem cuidada, e logo estará mais que curada.

12 — Postergar é a arte de deixar sempre para amanhã e viver no ontem. Enfrente o futuro com decisão.

— 34 —

1 — O poder cega os homens e, como sempre, corrompe ou é corrompido e obstrui a justiça.

2 — Não gosta de saber que, cientificamente, é provado que nada existe para aumentar a produção de esperma.

3 — A família carente, sem suporte financeiro, é, aos poucos, marcada pelo sacrifício e se desespera.

4 — Gostaria de ver seu irmão tomar decisões e agir na vida — é preciso tomar posições.

5 — Os conflitos seguirão o seu curso até quando os excluídos não tiverem justiça.

6 — Terá poder se for maquiavélico, demagogo, diplomata e continuar "mexendo os pauzinhos".

7 — Não podemos dar liberdade integral aos filhos sem que antes os orientemos bem.

8 — A verdade e o amor existem e, por serem frágeis, devemos sempre cultivá-los como as flores.

9 — A moral de quem tem poder nem sempre é elevada, pois muitas vezes é mal usada.

10 — O homossexualismo é encarado e aceito como não sendo uma doença, e já pede na união civil a partilha de bens.

11 — Não é grave o mal que muito o atormenta; trabalhe um pouco mais e distraia a mente.

12 — Seu sofrimento não traz inquietação e não conta nada, por sua discrição.

— 35 —

1 — O poder nos atinge quando são aumentados os preços dos insumos e se cobram mais impostos.

2 — Quando os inquéritos atingem o governo, os culpados já têm os depoimentos decorados.

3 — Não gosta de ver o presunçoso egoísta tomar para si todo o crédito do grupo.

4 — Quem tem boa família — esposa e filhos felizes — deve agradecer ao destino.

5 — Gosta de tomar decisões bem pensadas, sem precipitação; amanhã pode ser tarde.

6 — Os conflitos sociais têm alto custo, pois pagam dividendos aos incitadores.

7 — As pessoas erradas estão quase sempre no poder; como você não é dessa espécie, desista.

8 — Os direitos adquiridos pelos trabalhadores devem ser respeitados com liberdade.

9 — A verdade para com quem você ama é bem exata; para os chatos e insistentes planejam-se mentiras.

10 — A liberação feminina modificou muito os valores da moral existentes no passado.

11 — Estudos de universidades estimam a população de homossexuais em percentuais elevados.

12 — O mal que inspira todos os cuidados só pode ser curado com intervenção cirúrgica.

— 36 —

1 — Para ser feliz, confira seus passos primeiro e verifique se não estavam longe de casa.

2 — O poder patriarcal transferido ao mais velho injusto ocasiona crises familiares.

3 — Os beneficiados compram o dólar antes da alta e, juntos com o poder, vendem antes da baixa.

4 — Não gosta de conviver com a pobreza consentida, ela mostra ser defeito sem ter sinal de habilidade.

5 — A maior felicidade de uma mãe é freqüentar serviço religioso em companhia dos filhos.

6 — Gosta de tomar ação e libertar seu orgasmo com paixão, senão pode ter vivido em vão.

7 — Devemos crer que o povo deseja a paz social, mas o governo, de tão ruim, provoca conflitos.

8 — Para ter poder você deve ignorar a verdade e se intoxicar muito com as falsidades.

9 — Com liberdade, devemos exigir a garantia de emprego, saúde e o direito à educação o governo deve cumprir.

10 — Devemos criar nossos filhos cultivando a verdade, que simboliza o sucesso.

11 — Algumas questões morais sobre o homossexualismo, hoje, estão sendo aceitas com muito mais naturalidade.

12 — Mesmo não tendo nada contra as diferentes opções sexuais, a maioria prefere a tradicional.

— 37 —

1 — Uma parte sou eu, a outra é você; conviver é viver em equilíbrio.

2 — De outra vai ser esposo e fiel, se com essa não pode ser feliz.

3 — O poder cedido a herdeiros incapazes atinge todos os negócios da família.

4 — O poder corrompido, "os negócios da China" e as privatizações aniquilam a nação.

5 — Não gosta de jogar cartas com quem trapaceia nem de dormir com quem tem mais problemas que os seus.

6 — Pais divorciados mantêm os filhos distantes e em escolas caras, privilégio de infelizes.

7 — Antes de tomar decisões apressadas gosta de aguardar a verdade, que mesmo tarde sempre aparece.

8 — Homens são mortos, crianças padecem de fome; os conflitos trazem muita dor aos indefesos.

9 — A modéstia exagerada jamais trará o poder que pode ser conseguido pelo conversador.

10 — A liberdade excessiva deve ser coibida para que haja justiça equânime.

11 — Quando eu recebo do meu amor uma desculpa sem nexo, sei que ele está se divertindo e não diz a verdade.

12 — Preservados o amor e a moral do casal, o feliz matrimônio continuará em paz.

— 38 —

1 — O arrefecimento do sexo se deve um pouco às condições de emancipação da mulher.

2 — Nosso convívio deve ser harmonioso, com paz, sem brigas e discussões.

3 — Você pode ser feliz com um novo relacionamento se, ao lado do antigo, está descontente.

4 — A corrupção governamental exaspera; desde longa data, todos são atingidos pelo mal.

5 — Cruzeiro, cruzado, real... Desacreditadas, não podem as moedas dos emergentes valer mais que o dólar.

6 — Não gosta de receber seus conselhos quando sente que não precisa deles.

7 — Todas as famílias têm problemas iguais, momentos felizes, dores e penas a mais.

8 — Gosta do sentido espiritual conseguido pelo trabalho e produzido por compulsão interna.

9 — A democracia de governo corrupto não é capaz de resolver as questões sociais devido a interesses.

10 — O poder conseguido pela eficiência do seu trabalho inteligente dignifica.

11 — Devemos ter a liberdade de escolher o amor que satisfaça nossa sexualidade.

12 — Uma das virtudes da vida é a verdade, que dignifica o homem em sua existência.

— 39 —

1 — Hoje quase não existe mais a solidariedade: é cada um para si e que Deus abençoe a todos.

2 — Em cada dez casais, sete agora querem transar e os outros três não estão dispostos.

3 — Devemos nos equilibrar neste mundo como ele é, não naquele que não existe.

4 — Se você tiver mais que o necessário, sua vida será mais que facilitada.

5 — A riqueza rápida que favorece o poder, que é venal, suga as verbas destinadas ao povo.

6 — Muitos planos, jogos de interesse econômicos, demagogia eleitoral trazem desemprego e caos social.

7 — Não gosta de pensar no princípio das coisas; esse mistério é insolúvel.

8 — A felicidade familiar está sujeita ao desejo de prosperidade de seus membros.

9 — Gosta da beleza que promete felicidade e que apresenta proporções certas de prazer.

10 — Os conflitos surgem acompanhados de mentiras; precisamos conhecer as suas verdadeiras razões.

11 — O poder deve ser conseguido com esforço participativo, mas firme e bem estruturado.

12 — A total liberdade é muito difícil de conseguir, depende sempre de alguém ou de alguma coisa.

— 40 —

1 — O poder mal exercido, forçado pelo direito herdado, destrói empresas.

2 — A solidariedade política existe somente nas horas de acordos, visando as vantagens de coligação eletiva.

3 — O maior problema com os casais hoje é a apatia sexual que inibe um deles.

4 — Temos que construir nossa vida terrena com atitudes equilibradas, sem ofensas.

5 — Por enquanto, ao meu entender, nunca espere plena felicidade.

6 — O joão-de-barro constrói sua casa em paz; o poder arrebata você com juros e correções.

7 — Ninguém crê no poder quando autoriza que autarquias financiem multinacionais na compra de valiosas estatais.

8 — Não gosta de pensar que nosso país não é bom para se viver, mas que poderia ser.

9 — Infeliz quem compra casa pela CEF: paga que paga, passam-se anos, e a dívida cresce.

10 — A vida é bela, existe amor e desejo, gosta de viver buscando o prazer.

11 — A luta pela sobrevivência traz aflição e conflitos; temos interesse em viver em paz e com dignidade.

12 — Com injustiças você jamais manterá o poder; não derrube seus parceiros pelo caminho.

— 41 —

1 — Escolha bem o que você vai querer fazer e, se fizer outra coisa, vai se arrepender.

2 — Do poder todos esperam justiça e um governo que ofereça escola, saúde e infra-estrutura.

3 — A solidariedade existente no seio familiar é mais significativa entre avós, pais e filhos.

4 — Estudos provam que os problemas sexuais são causados pela impotência e a frigidez.

5 — O meu parceiro realmente tem equilíbrio e convive, feliz, com pessoas de diferentes níveis.

6 — Se os filhos estão envolvidos na união, vão fazer tudo para a sua solidificação.

7 — No picadeiro do poder, somos atingidos quando deputados resolvem dar aumentos para si mesmos.

8 — O dinheiro da venda das estatais sumiu, o nosso débito subiu e ninguém entendeu.

9 — Não gosta de falar muito; aprendeu que a calma do silêncio trará paz.

10 — Com esperança de ver toda a família feliz, sofre a desilusão do impossível.

11 — Gosta de olhar, conversar, tocar e tudo mais que o atrai na hora do sexo.

12 — Antigamente o homem se protegia das feras; hoje, é obrigado a se defender das injustiças.

— 42 —

1 — Você será muito feliz se desejar a felicidade dos outros.

2 — Você fica sem controle sobre suas emoções quando a tarefa não se adapta às suas aptidões.

3 — Nos países do terceiro mundo existe muita corrupção, e novos inquéritos substituem os anteriores.

4 — Com a proximidade das festas de Natal e de Ano Novo, a solidariedade entre as pessoas aumenta a olhos vistos.

5 — Na maioria dos casais a mulher se queixa da falta de desejo do homem.

6 — Meu amor é bem equilibrado; pensa com clareza e volta para corrigir seus erros.

7 — Será uma feliz união e irão se amar desde que ambos sejam honestos.

8 — As mais formosas e inteligentes mulheres são atingidas pelo irrecusável poder sexual.

9 — Década de 90, plano real, política cambial equivocada, muita importação, pouca exportação — surgiu o caos.

10 — O pior de tudo é quando a idade chega e tira toda a beleza que a natureza deu.

11 — Uma geração não constrói outra igual; a primeira se sacrifica, e a segunda briga.

12 — Gosta da nudez sensual, visão que estimula a sua sensibilidade erótica.

— 43 —

1 — Enquanto os pais estão vivos e lúcidos, a família continua unida e respeitosa.

2 — Você será mais feliz quando encontrar aquele amor tão esperado.

3 — Está com tanta raiva que pode pirar, e não sente vontade de fazer nada.

4 — Devemos esperar do poder o cumprimento das promessas eleitorais, portadoras de paz social.

5 — Nossa solidariedade fica bem visível quando os problemas atingem nossos entes queridos.

6 — A queda do desejo sexual se deve hoje aos problemas de ansiedade, tensão e enfado.

7 — É próprio dele ser equilibrado; é a honra que o impulsiona para frente.

8 — Feliz será esse casamento, ideal que une o par que se entende.

9 — O poder do matrimônio por vezes atinge os que desejam contrair vantajosas núpcias.

10 — Pobre Brasil: falência de indústrias nacionais, três milhões de desempregados, pobreza e criminalidade.

11 — Não gosta de pensar numa vida futura; está interessado nos dias de hoje.

12 — Poder atender as necessidades dos familiares e contribuir para seu sucesso — eis a felicidade.

— 44 —

1 — Dotado de capacidade e inteligência, você deve tentar a autonomia um dia.

2 — Depois que os pais passam para o além, a maior ambição de alguns irmãos prejudica outros.

3 — Em se casar reside a verdade, que pode ser sua felicidade.

4 — Superou o problema de crise nervosa, tirando algumas tardes para relaxar.

5 — O poder patriarcal posseiro aos poucos consegue usurpar os direitos de irmãos e da terceira geração.

6 — Quando problemas de saúde surgem inesperadamente é que conhecemos os verdadeiros amigos.

7 — Os problemas sexuais são únicos e pessoais, e cada um tem de cuidar dos seus.

8 — O equilíbrio demonstra sua força de vontade; vive bem com todos e não maltrata ninguém.

9 — Ainda que haja alguma discussão, viverão bem como bons amantes.

10 — Os homens fortes e de compleição atlética atiçam as mulheres com seu vigor.

11 — Pobre, incapaz e infeliz é aquele que trabalha pelo "mínimo" da vergonha.

12 — Não gosta de somente olhar e desejar; precisa tocar para aumentar o prazer.

— 45 —

1 — Adão e Eva, Lilith e a serpente mais a maçã — nos tornamos pecadores.

2 — Se você trabalha numa grande organização e tem ótimos ganhos e prêmios, fique onde está.

3 — A família geralmente é solidária e unida até que surjam lutas de interesses e dinheiro.

4 — Segundo o destino indica, jamais o vaidoso e egoísta será feliz.

5 — Quando você estiver muito nervoso, ouça boa música e relaxe.

6 — O poder amordaça a mídia, que recebe vantagens e agradece com favoritismos.

7 — Quando as sobras não lhe inquietam, você pratica a solidariedade de forma desprendida.

8 — Desejando fazer bom sexo, um ajuda o outro tocando as zonas eróticas antes da penetração.

9 — O equilíbrio da mente sustenta o corpo que, com seus desejos, procura a vida fácil.

10 — Entre dois gênios opostos, ou sai fogo ou adeus união.

11 — Os belos anjos são atingidos, como sempre, pelo poder do dinheiro.

12 — Aqui o poder é desacreditado por um escândalo que abafa outro maior, que abafou um anterior, e assim por diante.

— 46 —

1 — Devemos ser contra os direitos abusivos dos mais fortes, que prejudicam a democracia.

2 — Adão foi criado andrógeno (macho e fêmea ao mesmo tempo) e à semelhança de Deus.

3 — É medida de prudência aguardar a hora certa para abrir seu primeiro negócio.

4 — A família é muito unida enquanto os filhos são pequenos e dependem da direção dos pais.

5 — Por você não gostar de ninguém, não existe alguém que goste de você.

6 — As pressões sociais pela beleza nos deixam nervosas e ansiosas.

7 — O poder traz consigo escândalos financeiros que, se somados, liquidam as dívidas externas.

8 — A melhor coisa da vida é tornar recíprocas as gentilezas recebidas do casal amigo.

9 — O trabalho estressante é uma das causas que diminuem o desejo sexual.

10 — Somente o equilíbrio que precisamos possuir pode vencer as quedas e as decepções da vida.

11 — Maus momentos serão o de menos; nessa união serão felizes demais.

12 — O homem, com sua obediência ao poder, é atingido na sua falta de moral existencial.

— 47 —

1 — A paixão acontece quando menos se espera, e então vem o encontro, o diálogo e depois o amor.

2 — Não agrada a democracia que assusta, vende armas e domina economicamente.

3 — Adão teve duas mulheres: Eva, que responde às questões teológicas, e Lilith, que justifica o pecado.

4 — Cuidado com a idéia de se tornar autônomo; a procura pelo ganho pode ser uma perda.

5 — Na antiga criação, tipo patriarcal, depois do pai, o irmão mais velho atrofiava a mente dos demais.

6 — Será feliz porque tem bom humor; nessa pessoa a dor não faz pouso.

7 — Precisa mudar seu temperamento e procurar viver mais tranqüilo.

8 — O poder é responsável pelo desemprego, que aumenta a criminalidade e a desonestidade.

9 — Quem lhe ajuda será ajudado; quem lhe fere será ferido; essa é a lei da reciprocidade.

10 — O sexo arrefece quando, preparada e no seu melhor dia, espera o homem e este não cumpre.

11 — Feliz de quem tem esposa e filhos equilibrados; ficam assim livres de muitas dores e desilusões.

12 — No início a união será feliz, mas depois chega o excesso de ofertas.

— 48 —

1 — Gosta muito da noite e não se cuida; uma vez nela, fica até a madrugada.

2 — A paixão sempre deve ser recíproca; quando um não quer, dois não fazem.

3 — É de estarrecer a falsa democracia que, com suas corporações, escraviza.

4 — Nossas crianças já nascem pecadoras e assim vão morrer, pelo indevido sexo.

5 — Ser autônomo é melhor para você que evita gastar menos do que ganha.

6 — Depois de mais velhos, cada irmão constrói sua família, cunhados, sobrinhos; desunião.

7 — Se conseguir o que está esperando, você será feliz de todas as maneiras.

8 — Se estiver à beira de um colapso, leia a Bíblia desde o início.

9 — O poder através dos tempos mantém o povo simples na ignorância e agora no analfabetismo digital.

10 — É necessário retribuir a boa ajuda que recebemos de mestres, parentes, amigos e parceiros de trabalho.

11 — O sexo desaparece quando se acorda cedo com a ereção que clama pela ação negada.

12 — A roda da vida gira e desequilibra, trazendo angústias e ansiedades.

— 49 —

1 — A diferença de idade trará problemas e atritos, pode esperar.

2 — Gosta muito da noite, perfume e música; sente-se bem e esquece das tristezas.

3 — Paixão à primeira vista acontece quando o homem e a mulher emitem ondas favoráveis.

4 — Não nos agrada a maneira democrática de tudo globalizar e afundar o terceiro mundo.

5 — Adão adormeceu, Eva explorou todo o seu corpo, tocando seu membro, endureceu, nasceu o pecado.

6 — Você deve tornar-se autônomo logo e, para vencer nos negócios, tenha um sorriso nos lábios.

7 — A família que rezava junto continuava unida; é importante voltar a esse bom sistema.

8 — Quando você sofrer muitas pressões, tem de buscar ser feliz, por necessidade.

9 — Não está sofrendo distúrbios emocionais, somente porque nada perdeu de valor.

10 — Quando o poder quer votos da massa que é disforme, dá-lhe futebol, carnaval e frango.

11 — É gostoso retribuir o carinho de quem lhe ama e agradar muito essa pessoa amada também.

12 — A falta de interesse sexual é sempre temporária e deve ser reciclada com tempo, carinho e paixão.

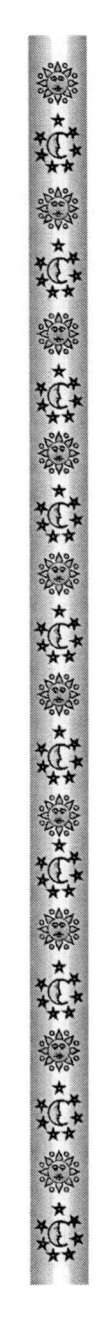

— 50 —

1 — Não é nada boa sua intenção; há maldade em seu coração.

2 — Não se entrega pela sua prudência; a parceria não traz boa referência.

3 — Nossos horários são todos desencontrados — o meu termina na novela e o dele vara a noite.

4 — A paixão, enquanto dura, é uma maravilha, tudo é muito bom e a gente não se cansa.

5 — Na democracia atual o mais forte tem sempre razão e dita a dura servidão.

6 — No ócio do Éden o casal acabou despertado pela serpente, que avivou sua estrutura afetiva e sexual.

7 — Como autônomo você substituirá, por vezes, a ética pela frágil conveniência.

8 — A orientação e o acompanhamento educacional por parte dos pais é vital e mantém a união em casa.

9 — Com vaidade, torna-se mais complexo e, com a falta de amor, ser feliz é difícil.

10 — Sua estafa é porque confiou demais naquele que não tem nada a perder.

11 — O poder empresarial é conseguido por meio da política sistemática dos que pouco trabalham.

12 — Pelo seu calor humano sempre encontrará a solidariedade de todos que têm sensibilidade.

— 51 —

1 — Aprecia a feminilidade consciente que não cuida somente de amor, mas que se impõe também em outras áreas.

2 — A intenção parece honesta, coisa que ninguém contesta.

3 — Se não lhe fala como um tonto, irá lhe convencer rapidamente.

4 — Gosta de ver a madrugada nascer depois de uma noitada de alegria e prazer.

5 — Nada melhor que uma nova paixão para apagar a lembrança do amor que se foi e não voltou.

6 — A força da democracia desleal é tão grande que origina diversos conflitos.

7 — Pela ausência de satisfação, Adão e Eva acabaram descobrindo pontos de amor que levaram ao fascínio.

8 — Se você deseja autonomia, deverá ser amável, persistente e trabalhar muito mais.

9 — Quando existe o problema de falta de dinheiro, a família, por necessidade, se mantém mais unida.

10 — Será feliz em certa parte, mas uma parte não significa o todo.

11 — Tem transtornos de ansiedade quando a bolsa de valores cai e o dólar sobe.

12 — Na empresa familiar há inversão de valores; uns trabalham, outros politizam.

— 52 —

1 — Existem crises e já as conhece, é claro; tudo isso lhe aborrece.

2 — O sexo julgado frágil hoje é bem mais forte; gostamos da feminilidade atual, mais excitante.

3 — Para se acertar com quem prefere, afaste-se da que é mais oferecida.

4 — Para essa pérola se entregar, é preciso muito lhe agradar.

5 — Fica muito triste se não lhe chamam para a noite, principalmente durante os finais de semana.

6 — Paixão excessiva leva o parceiro ao desespero, quando não é de forma alguma correspondido.

7 — Agora a democracia enganosa exagera, e aos poucos criará adversários mais fortes.

8 — Deus criou o homem à sua imagem: macho e fêmea os criou, mistério de todo o pecado.

9 — Se você pode tornar-se autônomo não perca tempo; aproveite a ocasião e a idade e experimente para valer.

10 — A solidariedade familiar existe até certa idade; depois é cada um para si mesmo.

11 — Algumas vezes são felizes com seus desejos; porém, em muitas ocasiões, terão decepções.

12 — Passou a crise nervosa; agora que já recebeu empréstimos, ressuscitou.

— 53 —

1 — Sua voz, pela tamanha doçura, marca sua presença com candura.

2 — Por amor, você precisa conhecer a razão da crise que lhe faz sofrer.

3 — Devemos gostar da força feminina de hoje, vitoriosa no ataque e invulnerável na defesa.

4 — Se sua intenção é mesmo romper, não deixe ninguém se intrometer.

5 — Não se entrega pelo que disse antes; compromisso sério você não pode ter.

6 — No verão é muito bom ficar no bar à noite: música, ar condicionado, copos de cristal e mulheres à vista.

7 — O amor existe e a paixão aumenta quando o acerto da união se faz presente.

8 — Os absurdos da força democrática cessarão só quando surgir força antagônica superior.

9 — Com a união do macho e da fêmea houve a grande multiplicação da espécie na Terra.

10 — Você terá sucesso como autônomo, pensando nos negócios como a arte de servir muito bem.

11 — Depois de certo tempo as situações familiares não se apresentam muito róseas, as pétalas caem.

12 — Para ser feliz não pode enganar-se tanto, principalmente se tiver medo de amar.

— 54 —

1 — Gosta mais quando você faz travessuras que lhe levam além do seu desejo de amar.

2 — De bom grado você muito sorriria, sabendo que seu corpo traz alegria.

3 — Está conservando em segredo forte crise que lhe traz medo.

4 — Com todos os direitos, as belezas da atualidade se envolvem com graça no amor e com força no trabalho.

5 — A intenção de quem ainda não ama o suficiente, é despedir-se evitando ir para a cama.

6 — Não se entrega por achar que é coisa imposta; fazer amor lhe desgosta quando é só por farra.

7 — Não gosta porque sofre na madrugada, na noite tudo brilha e nada é realidade.

8 — A gente se apaixona pela beleza, pela classe, pela educação e pelo desejo, que é o mais forte.

9 — Hoje, a democracia não está melhor do que o feudalismo, o colonialismo e o comunismo.

10 — A verdade da nossa tristeza e da nossa solidão trouxe o pecado do uno que é feito de dois.

11 — Seja autônomo e tenha gratificante recompensa; conquiste reputação oferecendo bons serviços.

12 — As recordações nos conduzem aos anos passados, com a família unida pela compreensão.

— 55 —

1 — Se com seu amor é tão feliz, evite meter o nariz em seus assuntos.

2 — Gosta quando lhe deixa molhada, com o fogo de sua sensualidade.

3 — As provas que você tem lhe dado mostram que está apaixonado.

4 — As penas não causam danos, pois se mostram amenas.

5 — É de se apreciar a feminilidade tentadora da beldade que se veste bem, malha, se perfuma e conquista.

6 — Tem vontade de dormir com você; esse seu desejo é bastante antigo.

7 — Não se entrega, por mais que você peça, mas insista, tem por você um enorme desejo.

8 — Quando pode, procura os bares badalados para passar a noite, encantada por belezas.

9 — A gente se apaixona quando é atraído por outra pessoa, por quem temos enorme interesse.

10 — Até 1990 a democracia dominava com armas; depois, passou a ter lucros com o uso das canetas.

11 — O casal expulso foi habitar desérticas terras, onde o ímpeto do instinto sexual cresceu.

12 — Sendo autônomo, proteja-se contra os velhacos, não pague adiantado e jamais venda fiado.

— 56 —

1 — A intensidade do amor é de natureza individual: uns querem muito, outros se satisfazem com pouco.

2 — Não gosta do exagero da sua alta gargalhada, pois não há dialogo.

3 — O que muito lhe é agradável é seu sorriso, tão formidável.

4 — Deve, pelo seu amável trato, ter seu coração conquistado.

5 — Mais do que crises aparentes, reconheça que não existe nada que ela mereça sofrer.

6 — Gostamos do perfume da clorofila e do flúor, unhas e cabelos tratados, da depilação e da liberação.

7 — Muitos mesmo são seus pretendentes, sua intenção é deixá-los descontentes.

8 — Pelo muito que ouve dos intrigantes, não quer como antes, já não se entrega.

9 — Gosta tanto da noite que, já na mocidade, gastava seu dinheiro em casas noturnas.

10 — Quando nos apaixonamos fazemos muito amor: na cama, na praia e até por telepatia.

11 — Não existe e não existirá a verdadeira democracia, que governe para o interesse comum e não para o privado.

12 — Deus criou Lilith sensual e humana para o pecado, e a irmã, Eva, para a materialização do sonho de Adão.

— 57 —

1 — Para manter a saúde da mente e do corpo, é necessário a prática contínua de exercícios.

2 — A intensidade do amor filial se deve aos carinhosos pais sempre presentes.

3 — Causam-lhe muito desgosto todos os seus ataques injustos.

4 — Quando passa de sonho em sonho e depois abraça você, fica risonho.

5 — Por nenhum partido jamais se enamorou, nos braços de ninguém encontrou amor.

6 — Sofre com suas crises; por isso, agrade-lhe com amor sincero e brando.

7 — Devemos apreciar o trabalho das mulheres, que podem dispensar o vexatório suporte masculino.

8 — Tem por você intenção prudente — fique contente e não esquente.

9 — Não se entrega, pois a traição existe e, pelo que sente, está bastante triste.

10 — Não gosta da madrugada, pois cedo tem de levantar para trabalhar.

11 — Quando os filhos estão ausentes, estudando, olhamos suas fotos com paixão e saudade.

12 — Não agrada a democracia que com a tecnologia subjuga economicamente as republiquetas.

— 58 —

1 — Com o tempo vai desejar que seu corpo seja com carinho explorado.

2 — Ginástica, para beleza do corpo; universidade, para elucidar a mente.

3 — No trabalho, a intensidade da pessoa esforçada muitas vezes não é reconhecida, nem bem gratificada.

4 — A preferência que você dá ao rival lhe desgosta, pois tem ciúme.

5 — Por você o desejo não passa de um gosto; acredita que você ainda não está preparada.

6 — Ainda falta saber, de verdade, se a atração foi pela beldade.

7 — Está sofrendo de bobeira, pois não passa de uma brincadeira.

8 — Gostamos das atitudes das novas mulheres, atualizadas, independentes, decididas.

9 — Pode causar a sua perdição, pois sua intenção é de traição.

10 — Por um ressentimento não se entrega, pois antigo problema ainda carrega.

11 — Não gosta de sair muito tarde à noite; prefere gastar sua energia durante o dia.

12 — Devemos manter a paixão ardente por muito tempo, para consolidar o amor existente.

— 59 —

1 — Se confiar em sua palavra, fique atento, será enganado e ficará consternado.

2 — Continuar virgem é o seu desejo; porém, como peça de cristal, se encostar...

3 — Sorria bastante e conserve o seu bom humor, para manter a saúde mental e a beleza.

4 — Quando você trabalha com muita intensidade, é beneficiado ou repudiado pelos colegas.

5 — Da cabeça aos seus lindos pés, não aprecia mais o que você é.

6 — Se tudo encontra em seu exterior, deseja muito com você fazer amor.

7 — Você possui a chave do seu coração, verdadeiro milagre, sem explicação.

8 — Por amor tem crises infinitas e outras que não estão escritas.

9 — Apreciamos a mulher atual, eficaz no trabalho, bem mais inteligente, mais sensitiva e bonita.

10 — Considere já o seu tempo perdido, por não ter sua vontade entendido.

11 — Não se entrega, pois o caso não vai bem e, sendo assim, essa união não sai.

12 — Não gosta, porque vê que na noite tudo é mentira.

— 60 —

1 — Você deve planejar bem o seu objetivo, priorizá-lo e nele se concentrar.

2 — Pode acreditar numa parte da história e na outra não espere grande sorte.

3 — Fazer amor é sua disposição, e somente com quem tem atração.

4 — Dieta bem equilibrada e exercícios regulares são condições para amor constante.

5 — A intensidade do amor depende de ambos; quando há muita, a satisfação é igual.

6 — Olha para você de cima a baixo e gosta de fazer comparações.

7 — Gosta de seus desejos extremos; a sua atitude em breve veremos.

8 — Seus modos, seu sorriso e seu carinho, aos poucos, lhe despertam a atração.

9 — Tem amor e desejo; sofre só de lhe passar as mãos.

10 — Quem tem filhas e netas se alegra no saber do seu preparo e autonomia.

11 — Ficar com você é sua intenção; outras companhias não oferecem diversão.

12 — Não vai concordar pela insegurança; se topar com você, é claro que dança.

— 61 —

1 — Seu rancor salta à vista; percebe traição.

2 — Faça força para conseguir boa promoção; se não for reconhecido, pesquise novo trabalho.

3 — Devemos crer no Deus sem grandiosos templos, e sem sacerdotes, sem imagens e que perdoa suas criaturas.

4 — Um dos sócios sempre carrega o piano; o outro demagogo, vira bom diplomata.

5 — Você deverá ser mais que esperto, senão a difícil causa irá perder.

6 — Mantenha a boa qualidade da sua produção idêntica às amostras; assim, a exportação crescerá.

7 — Sofremos na Terra por causa do pecado original; só isso não pode castigar tanto.

8 — Com os avanços tecnológicos e a terceirização, você terá o melhor e mais produtivo ano da vida.

9 — As heranças por vezes caem nas mãos de quem nada ajudou no trabalho.

10 — Vocês serão felizes e não terão perdas; viverão juntos com muito boa saúde.

11 — Quando temos a chance de encontrar alguém de fato especial, não devemos desistir, mas lutar até conseguir.

12 — Você deve terceirizar corretamente: tudo controlar, exigir qualidade, entregas e nunca facilitar.

— 62 —

1 — O encontro pode acontecer num vizinho: lanches, bebidas, baralho e amigos.

2 — Tem rancor e, como você sabe, guarda sua dor a sete chaves.

3 — Quem é assalariado deve conservar sua boa posição, ou se agarrar a oportunidade melhor.

4 — Se um deus fica sempre nervoso e envia os seus filhos para o fogo eterno, será odiado pelas mães.

5 — Sempre existe um sócio que nunca diz a verdade; o outro se abaixa contra o chute.

6 — Fique alerta com essa causa — dela virá tempestade na certa.

7 — Nosso mercado é de baixo poder aquisitivo; para equilibrar a produção, lute até exportar.

8 — Fomos criados com vigor e desejo sexual; não pedimos, mas sofremos em razão disso.

9 — Para sua alegria e satisfação, o ano se mostrará bom amigo.

10 — Heranças não surgem dos céus; mostre trabalho para ser reconhecido.

11 — Sorte no amor, no casamento, longa vida; não se preocupe com provável viuvez.

12 — Se o negócio está tão bom e você acha gostoso, para que desistir? É continuar e ver no que dá.

— 63 —

1 — Do seu lado ainda não partiu porque o destino não lhe permitiu.

2 — Talvez esteja em casa a estudar, pois precisa entrar na faculdade.

3 — Sua raiva por certo é motivada pela falta de uma boa noitada.

4 — Não deve mudar muito de trabalho quando você está bem remunerado e é respeitado.

5 — Cientificamente a idéia de Deus, dos céus e de Jesus será difícil de se entender agora.

6 — Em sociedade familiar nada funciona, depois que entram a primeira e a segunda cunhada.

7 — Para ganhar a causa quase perdida, você terá de gastar muito dinheiro.

8 — A exportação é uma faca de dois gumes; você pode conseguir, mas tome cuidado, pois há dificuldades.

9 — A divindade é homogênea, imóvel e afastada de qualquer castigo; para nós traz o sofrimento.

10 — Será um ano feliz, com muita saúde, dinheiro no bolso e férias à vista.

11 — Quem não faz nada e recebe herança, na verdade, come o pão da vergonha.

12 — Com tristeza enviuvará bem mais tarde; depois, com alegria, guardará sua memória.

— 64 —

1 — Se bom ou ruim para você, hoje mesmo estará aqui.

2 — Irá cruzar outras vias; viajará em menos de quarenta dias.

3 — Encontrará a pessoa fora de casa e, creia, não está em boa companhia.

4 — Tem rancor por desejo negado; e perante outros foi magoado.

5 — Não mude de trabalho a não ser que o convite seja vantajoso; exija contrato.

6 — Quando alguém sente que Deus está distante, Ele é substituído por outro mais vantajoso.

7 — A primeira geração vai bem junto aos seus pais; as confusões chegam com os irmãos, cunhados e sobrinhos.

8 — Não fique nervoso; a lei é justa, e você vai receber o que tem direito.

9 — Você conseguirá exportar, se desde o início contar com pessoas experientes ao seu lado.

10 — Se a felicidade consistisse só no prazer do corpo, sofreríamos mais, sempre procurando coisas melhores.

11 — O destino dá muitas voltas; os tempos ruins já se foram; prepare-se para um ano de sucesso.

12 — Nada melhor do que receber uma herança inesperada num momento difícil.

— 65 —

1 — A sua volta será mais útil; a retirada teve motivo fútil.

2 — Não voltará amanhã nem depois, assim haverá paz para os dois.

3 — Resolveu dar nova escapada, e não deseja ninguém à sua volta.

4 — Como se sente no abandono, esse encontro pode ser na madrugada.

5 — Tem rancor, certamente; sua falta de amor foi surpresa.

6 — Faça seu trabalho sempre com alegria, e não o deixe até encontrar outro superior.

7 — Se a Igreja pagasse impostos, distribuísse um pouco de suas terras e riquezas, seu Deus seria mais aceito.

8 — A sociedade entre irmãos já não funciona, imagine entre amigos ou estranhos.

9 — Como é correto o tribunal, você não pode se sair mal.

10 — Se conseguir exportar com louvor, você terá garantida sua estabilidade.

11 — O homem sofre na Terra pensando no que lhe acontecerá depois da morte, sem nada saber.

12 — Tenha esperança de que o próximo ano vai consolidar todos os seus negócios.

— 66 —

1 — Ainda que seu amor seja mais que certo, deve mostrar carinho mais de perto.

2 — Sua vinda trará novos problemas; busque um novo alguém.

3 — Não espere, nem à noite, nem de dia; sua volta fica sempre para amanhã.

4 — Dando-lhe satisfação completa, não irá ao lugar que lhe afeta.

5 — Está em casa, desesperada; telefone, porque se sente muito aflita.

6 — Em seus olhos mostra muita irritação, pois você não lhe trouxe compensação.

7 — Se você se tornou hábil e experiente, poderá conseguir um melhor salário.

8 — Devemos crer em Deus, criador do céu e da Terra, espírito perfeito e pacificador.

9 — Fique sozinho e resolva seus problemas; se você admitir um sócio, adeus paciência.

10 — Como você está sempre presente, terá mais chances que o ausente.

11 — Se a nossa moeda fosse real no começo do plano, as exportações teriam crescido de verdade.

12 — É grande o sofrimento em saber que na Terra a justiça não se ocupa dos falsos e injustos.

— 67 —

1 — Tem motivos para crer em você, porém nunca lhe deixará saber.

2 — Se alguma vez duvidou, hoje, enfim, acreditou.

3 — Sua volta terá gosto de mel; doce encanto, lhe será fiel.

4 — Segundo assinala o destino, seu retorno será repentino.

5 — Por melhor que seja o outro lugar, jamais vai abandonar sua paixão.

6 — Está fugindo para um barzinho, onde, no meio da alegria, não fica sozinho.

7 — Guarda muito rancor e não perdoa; a razão é que a ninguém se afeiçoa.

8 — Colhemos sempre o que plantamos; se formos eficientes, conseguiremos melhorar o trabalho.

9 — Devemos crer no Deus que perdoa nossas faltas; mesmo com demora, até nossos pais nos perdoam.

10 — O sócio irmão pode não ter competência, mas pode obter o poder usando política.

11 — Para ganhar a causa você deve encontrar um advogado astuto.

12 — Não venda para o exterior sem qualidade, sem amostras aprovadas e sem garantias.

— 68 —

1 — Ainda que não queira se afastar, pare com seu jeito de provocar.

2 — Antes desse momento talvez confiasse, agora não; a dúvida muito lhe perturba.

3 — Com tantas provas que já tem, não só acredita, mas o amor mantém.

4 — A volta será agradável para os dois, para satisfazer os desejos depois.

5 — O destino diz que, muito cedo, voltará para você sem medo.

6 — Sua ausência não é por gosto; não é justo acusá-lo.

7 — Na casa de sua amiga espera lhe encontrar, pois longe da turma quer lhe ver.

8 — Está magoado e com rancor sem igual; mas, com carinhos, se alegrará no final.

9 — Trabalhe com amor, eficiência e alegria; garanta melhorias no seu trabalho atual.

10 — Depois que os pecadores se sentiram sem culpa, começaram a crer na deusa do amor e da fortuna.

11 — Na empresa familiar, os sócios no poder tornam-se posseiros e levam vantagens sobre o todo.

12 — Por coisas que o destino não diz, vai escapar-lhe o esperado ganho.

— 69 —

1 — É volúvel, e o oráculo diz mais: fuja dela para não se complicar.

2 — Nas brigas de amor tenha calma, não sofra; elas se resolvem na cama.

3 — Ainda não confia em você, pois conhece sua vida amorosa e se desespera.

4 — Hoje não acredita mais e pensa na sua traição.

5 — Ainda que a ninguém confesse, com sua ausência de fato padece.

6 — Se não lhe incomodar a censura, voltará esta noite com ternura.

7 — Confunde-lhe sua intenção de partir, e nunca enfrentará essa situação.

8 — Deseja lhe encontrar na praia e, então, serão mais felizes do que você previa.

9 — Tem rancor por seu amor obsceno, que se torna verdadeiro veneno.

10 — O seu trabalho lhe trará prestígio e, dentro do setor, você será disputado.

11 — Os homens procuram um Deus que perdoe, com bondade, e ponha juízo na cabeça dos governantes.

12 — Na empresa familiar uma parte da família protege os seus, ausentes ou incapazes.

— 70 —

1 — Se o atual amor define-se por puro interesse, tem de se produzir e mostrar sua beleza.

2 — Ainda que os dois se completem de forma real, não será igual; um se contenta, o outro quer mais.

3 — Vai desejar se afastar com muita razão: lhe falta carinho e não recebe atenção.

4 — Já está confiando e apreciando; o seu amor continua triunfando.

5 — De suas mentiras se cansou, e o maior sofrimento não lhe alcança.

6 — O destino lhe afirma que convém sua volta, pois será feliz.

7 — Quando souber que é de seu gosto, ficará ao seu lado mais disposto.

8 — Agora, com desespero, lhe engana; espere sua partida a qualquer semana.

9 — Talvez na igreja vai lhe encontrar; tem religião e retidão.

10 — Agora tem muito rancor, de verdade, e com outro amor se consola à vontade.

11 — Não existe um trabalho competente que não seja notado; logo você será promovido.

12 — A justiça será mais confiável quando agir contra poderosos políticos que desarrumam a vida.

— 71 —

1 — Tem amor e riqueza de bom nível — essa condição deve ser considerada.

2 — Nesse caso, repare que é de igual para igual: a vantagem de um é comparável à do outro.

3 — É volúvel e complica a situação; quem ama não tolera a traição.

4 — Por mais fofocas que o povo faça, nessa união não existe deserção.

5 — Muito confia e, por essa razão, entregar-lhe-á seu coração.

6 — Conhecendo sua falsa disposição, hoje não mais crê em estimação.

7 — Muitas vezes a volta é bem aceita; outras vezes o rigor é má receita.

8 — Voltará quando tiver passado o desgosto que lhe tem causado.

9 — Se você ajudar, não partirá, e de seu amor compartilhará.

10 — No trabalho encontrou sua alma gêmea, que, de tanto lhe ver, passou a sorrir.

11 — Com efeito sua boa alma voltará logo à sua calma.

12 — As recompensas e melhorias de funções na empresa dependem da sua competência.

— 72 —

1 — Ambos se amam igualmente, e a alegria de suas vidas tem sido muito boa.

2 — Tem algumas dívidas e passa por crises; é melhor aceitar o que não tem riscos.

3 — Pelo seu bom gênio e pelas condições, não perca essa vantajosa ocasião.

4 — Ama você com interesse verdadeiro, e já não tolera suas fugas tão volúveis.

5 — Por vezes tantas dores vai sentir que, no fim, sem agüentar, partirá.

6 — Não confia tanto agora como antes; a culpa é só sua, não se espante.

7 — Embora não se abra hoje, acredita que só para sexo vai lhe procurar.

8 — Sua volta, desprovida de calor, poderá lhe trazer alguma dor.

9 — Por você agora sente grande paixão; na volta quer receber mais que atenção.

10 — Com sexo tranqüilizante, a partida estará distante.

11 — Embora daqui esteja distante, encontrará seu bem mais adiante.

12 — Como pode deixar de ter rancor, se o que ouve e vê, lhe causa dor.

— 73 —

1 — Sorte e azar dependem dos astros, assim dizem os acertados oráculos.

2 — São felizes e fiéis os que ainda vivem em lua-de-mel.

3 — O par é ideal; algum dinheiro vai sobrar, e é certo que muitos bens você receberá.

4 — A situação financeira desse conhecedor trará vantagens para o amor de verdade.

5 — De flor em flor, age como a abelha: suga diferentes amores com volúpia.

6 — Somente para parecer bacana vai se separar, a ninguém engana.

7 — Agora lhe ama mais do que no início, pois antes não podia confiar em você.

8 — Quando lhe ouve, acredita. Depois medita e se irrita.

9 — Sua volta será bem conveniente, para sua família principalmente.

10 — Ardente desejo já sente por você; assim, ficará pouco tempo ausente.

11 — Uma partida em busca de melhoria nem seu coração pode impedir.

12 — Você pode encontrar quem procura num grupo de viagem superlegal.

— 74 —

1 — Por ter recebido afrontamento, a tristeza não traz esquecimento.

2 — Todos dizem que você tem mais sorte, e quase sempre escapa de novo azar.

3 — O casal está feliz, ardente e não vê ninguém que atrapalhe.

4 — A sua riqueza é bem manifesta, mas dormir junto é ação indigesta.

5 — Amam-se e têm vantagens bem iguais; assim estão livres de interesseiros rivais.

6 — O seu amor está pouco acima de zero; volúvel, procura quem lhe dê mais prazer.

7 — Hoje e amanhã, gotas a mais no vaso, e as brigas não serão mais por acaso.

8 — Seu amor está cismado e se admira da pouca confiança que você inspira.

9 — Enquanto provas não lhe der, perderá o interesse por você.

10 — Sua vinda pode ser conveniente, desde que não seja tão freqüente.

11 — Devido a outro acontecimento, da volta não faz o cumprimento.

12 — Não creia que partirá agora, porém tudo tem sua hora.

— 75 —

1 — Com intuição e com emoção, sempre procurando a paixão.

2 — Sua tristeza tem motivo leve, e sofrer por isso não deve.

3 — Não é ele, porque sempre reclama, nem é ela, porque ninguém a ama.

4 — Como não há motivos para ciúmes, os dois estão mais unidos e felizes.

5 — O ouro que lhe mostra não divide, e não passa de um lado para o outro.

6 — Novo amor não traz qualquer vantagem — quer sua submissão e satisfazer seu desejo.

7 — É, na verdade, muito amada, mas não deixa de ser safada.

8 — Se houver excesso de intrigas, todos podem crer, haverá brigas.

9 — Como é pessoa que muito calcula, não tem confiança, dissimula.

10 — Quando você está longe e ausente, quem está presente lhe desmente.

11 — A volta pode aumentar o amor; a convivência será de bom teor.

12 — Voltará quando tiver se acalmado; os desgostos o têm nocauteado.

— 76 —

1 — Por muito exigir pouco vai receber; não há nada de valor para esconder.

2 — Acha que sexo é a base da vida, e isso a deixa bastante atrevida.

3 — Está triste pois nada lhe concede; tudo de que precisa seu amor mede.

4 — No relacionamento não são afortunados; sem sorte, ambos já estão desanimados.

5 — Ninguém é feliz em tempo integral; ter desconfiança é natural.

6 — Ainda que este faça muita exibição, o outro é mais rico, sem demonstração.

7 — A vantagem está sempre do lado de quem dá conta do seu recado.

8 — O melhor mesmo é afastar-se; é volúvel e vai lhe machucar.

9 — Não acredite na maldade que dizem; o destino afirma que o casal será feliz.

10 — Tanto confia que lhe procura, entrega-se mais e não sossega.

11 — Por mais que esconda, acredita na sua onda.

12 — A volta será melhor valorizada, com a vida dos dois unificada.

— 77 —

1 — Não deixará de lhe procurar; como vê, está doido para lhe encantar.

2 — O que pede é justo; verá que não é preciso brigar, pois o acordo será normal.

3 — É mais racional, objetiva e pouco sentimental; essa combinação não a faz muito passional.

4 — Sofre porque teme desfeita da pessoa de quem suspeita.

5 — Tem mais sorte o bem-intencionado; seus negócios estão sempre crescendo.

6 — Os dois vivem bem felizes, e não têm motivos para deslizes.

7 — Quem tem menos deveria ser o escolhido, mas, ao contrário, quem tem mais sempre é preferido.

8 — Percebendo o grande número de ofertas, escolhe quem desperte mais sexualidade.

9 — Sua beleza chama a atenção; volúvel, seleciona outros pares.

10 — Muitas vezes tem tentado afastar-se, até hoje sem nenhum resultado.

11 — Acordada tudo lhe desagrada; não confia e se sente enganada.

12 — Nessa demorada e difícil lida, você acredita sempre na sua escapulida.

— 78 —

1 — Ver sua beleza é a melhor coisa que existe, e lhe faz esquecer tudo o que há de triste.

2 — Dará explicações que irão lhe satisfazer; de fato, vocês podem se entender.

3 — Como prova de total confiança, deixa em suas mãos a solução.

4 — Acha o prazer sexual natural e fluente e ter fantasias também julga ser bom.

5 — Está triste por ter agora compreendido fatos que lhe confundiam os sentidos.

6 — Houve muitos amores em sua vida; teve bastante sorte e foi feliz.

7 — Fica feliz aquele que está com o ser amado e com prazer espera o que lhe é reservado.

8 — Escolher quem lhe dá recursos, sem proibição, vai tornar possível comprar tudo que lhe dá satisfação.

9 — Aquele que mais anos tem de experiência, além da vantagem financeira, não deve ser descartado.

10 — É amada com paixão desenfreada, pois sua volúpia não lhe dá sossego.

11 — Tantas brigas ninguém mais agüenta.

12 — Está decepcionado até hoje; não confia por motivo banal.

— 79 —

1 — Sendo o seu motivo tão banal e fútil, buscar outra pessoa não será legal.

2 — Se a beleza não é natural, use a criatividade; não ter beleza provoca crise de identidade.

3 — Hoje não poderá ver seu amor, pois cliente especial vai receber.

4 — Antes de mais nada você deve averiguar se há condições de facilitar sua vida.

5 — Sexo é assunto que trata com muito respeito; fazer amor não pode ser de qualquer jeito.

6 — Ficou triste porque se entregou e tem mágoas ao ver que se arrependeu.

7 — Quem se cuida e é mais atraente possui mais sorte do que os que não se cuidam.

8 — Está infeliz agora porque suspeita que seu calor rejeita e outro lhe tem.

9 — Deve se unir com quem tem mais recursos; a paixão acaba, e o dinheiro toma seu curso.

10 — Um vai entrar com dinheiro e prosperidade; vem o outro disposto e cheio de virilidade.

11 — Pelos confiáveis signos dos céus, é volúvel desde que perdeu o véu.

12 — Uma leve briga pode ser que dê certo para que a pessoa de mau gênio desperte.

— 80 —

1 — Tem sorte, com motivo, pois seu trabalho é ativo.

2 — Não só é útil como necessário; procurar outro é solução primária.

3 — No corpo e na beleza convém investir — o tempo é implacável, por isso procure viver.

4 — Muito logo você vai perceber que, sem sua companhia, nada vai perder.

5 — Bastante firme e inflexível se mantém; não pode perder a condição que detém.

6 — Sendo sua criação bem mais liberal, encara com segurança sua vida sexual.

7 — Está triste por ver que, por mais que se esforce, tudo passa e não recebe amor.

8 — A sorte lhe trouxe graça e beleza, atrativos do desejo e da cobiça.

9 — Tanto na segunda como na quarta-feira, fica feliz quando se encontra com a bela.

10 — Procure quem trabalha com a cabeça e que possa lhe dar aquilo que você merece.

11 — O amor atual com o tempo vai terminar; enquanto é bela, procure melhor vantagem.

12 — Ama-lhe muito quando você está presente; fica mais volúvel quando você está distante.

— 81 —

1 — Problemas você tem de verdade, mas sairá deles se tiver vontade.

2 — No começo azar menos forte, e depois um pouco mais de sorte.

3 — Se você não mais agüenta, procure logo quem lhe agrade.

4 — Logicamente, beleza é fundamental, portanto continue se produzindo e levante o astral.

5 — Mesmo quando tudo pede a calma, não deixará de lhe ver — é o que pede a alma.

6 — Em assunto tão polêmico e discutido, dar ouvidos a outros não faz sentido.

7 — Por precaução e por ser maduro, é claro, somente se permite ao sexo seguro.

8 — O cruel destino acusa só você pelos pesares que surgem agora.

9 — Nem em sonhos poderá ser ela; mesmo acordada a sorte foge dela.

10 — Por força há de estar feliz, pois conseguiu tudo o que quis.

11 — Seus pretendentes são desprovidos de objetivos e de dinheiro; procure outros com futuro garantido.

12 — Mesmo não fazendo muita ostentação, tem vantagens que trarão tranqüilidade.

— 82 —

1 — Além da ajuda que lhe pediu, também precisa de mais amparo, não mentiu.

2 — Por mais que fale em seu favor, os problemas ainda causam dor.

3 — Prima pela boa intenção, e assim o destino não lhe traz ressentimentos.

4 — Procure outro amor rapidamente e elimine o sexo passageiro.

5 — A beleza traz perfume muito excitante; o melhor deles pertence ao meu amor.

6 — Hoje não vai lhe ver, não precisa temer; tenha certeza de que amanhã vai querer.

7 — Por mais que falem a seu favor, liberar o que é seu lhe traz pavor.

8 — É saudável, mas tem demonstrado frigidez; troca de parceiros, até achar o par ideal.

9 — Em noites de desejo agora sofre, e com falta de amor a tristeza duplica.

10 — Se o destino tivesse se manifestado, talvez sua vida tivesse melhorado.

11 — Ela é mais feliz porque acredita que seu amor por ela está acima de tudo.

12 — Nem com um, nem com outro você vence; é aconselhável que você fique na espera.

— 83 —

1 — Até agora precisa de ajuda, e a família é a sua única salvação.

2 — Em outro tempo bem precisava, porque a você já se entregava.

3 — Já que cada um tem sua razão, a solução do problema não satifaz nem um, nem outro.

4 — Complica-se de bobeira; sua sorte deve buscar no momento certo.

5 — Busca outra paixão; é ingratidão — usou quem lhe ofereceu devoção.

6 — Devemos valorizar a beleza e, certamente, teremos as vantagens de ficar ao seu lado.

7 — Bem deixaria de lhe ver se, de repente, viesse a saber do seu último caso.

8 — Com juízo concorde com justo contrato; se não for esperto, você poderá ser prejudicado.

9 — A mente não se engana — sabe quem encanta e faz a escolha de quem na cama se agiganta.

10 — Está triste porque acredita bastante que seu bem está sempre distante.

11 — A sorte diz que, sempre amando, vocês viverão felizes e realizados.

12 — Seu amor com pouco se contenta; é infeliz, sem poder nada inventar.

— 84 —

1 — Procura mil vezes melhorar sua vida e, para isso, trabalha sem parar.

2 — Precisa da família mas está aborrecido; sem sua ajuda, fica muito perdido.

3 — Precisa de sua ajuda e conta com você; não há outros que lhe dêem apoio.

4 — Trate os problemas com mais cuidado, mesmo que as soluções não sejam sempre de seu inteiro agrado.

5 — Sua sorte tem fundamento, e com insistência deve buscá-la.

6 — Procurar outro amor é conveniente, mas, com bastante discrição, seja prudente.

7 — Comida ruim, cerveja quente, café frio e desamor deixam qualquer um doente.

8 — Depois de todas as loucuras dessa noite, não deixará de lhe ver, nem com açoite.

9 — Fique atento; cruel é o mundo, exija por direito o que é seu e aproveite.

10 — Sexo mais sexo, aumenta a sexualidade, em ritmo crescente, é verdade provada.

11 — Sofre pois não está em suas mãos terminar com projetos tão vazios.

12 — Mais claro não pode ser; é bem provado que tem mais sorte aquele que mais se arrisca.

— 85 —

1 — Não gosta de ser só objeto de amor, mas de vez em quando sente falta.

2 — Procura ganhar aquela jóia preciosa para melhorar a sua vida amorosa.

3 — O oráculo sempre disse e repete agora: não largue a família, não vá embora.

4 — A ajuda de maior valor foi a que permitiu ganhar seu amor.

5 — O oráculo aconselha ter mais juízo, fazer menos queixas, para evitar prejuízos.

6 — Sua sorte revela-se normal, acredite: não há azar para quem cumpre o dever.

7 — Deve buscar quem muito lhe importa e dá prazer; esqueça o resto.

8 — Nada mais simples e gostoso do que ganhar um sorriso charmoso.

9 — Depois de ter encontrado o amor, deixar de vê-la traz real pavor.

10 — Deixa que lhe peça outra vez, e então aja com cautela, dizendo nem sim, nem não.

11 — Sensual, sente-se no paraíso; depois das buscas, agora encontrou parceiro amável e cumpridor.

12 — De fato está um pouquinho triste, por sentir seu amor tão decepcionante.

— 86 —

1 — Muitas disputas e alguém vai se machucar; não há vencedores e o provocador padece.

2 — Gosta que toda sua beleza apreciem, e pelos olhares de admiradores se vicia.

3 — Procura melhorias pelo caminho; até a metade já chegou com vontade.

4 — Não é necessário se preocupar; ela, sozinha, sabe muito bem se virar.

5 — A ajuda que antes recebia perdeu outro dia por burrice.

6 — Existem imprevistos, mas tenha paciência; aja sempre com bastante prudência.

7 — Se a sorte não se mostra em seguida, pode estar certo de que logo virá.

8 — Se não procurar outro amor nunca saberá se a mudança trará a satisfação do prazer.

9 — Se gosta de belo corpo malhado, delicadamente descarte quem não se cuida.

10 — Não quer fugir de você; ficar é pretexto e deixar de lhe ver não está no contexto.

11 — Primeiro aguarde seu pedido e seja exigente; faça consultas, não nade contra a maré.

12 — Não faz amor com muito agrado, pois acha que sexo é pecado.

— 87 —

1 — Agora tem por certo o receio de que a dúvida apresse sua partida.

2 — Se tantas lutas tiver que disputar, por aqui mesmo é melhor parar.

3 — Observar o seu objeto amoroso com critério e ambição criará mais satisfação.

4 — Para melhorar, precisa ter paciência e adquirir mais experiencia de vida.

5 — Êxito no convívio é sua esperança; junto da família considera a vida bela.

6 — Não precisa de nenhuma ajuda, pois com o que recebe já está contente.

7 — A essência do acordo não vai resolver os problemas, que são motivados por uma luta passageira.

8 — Não continue se lamentando; não fique o azar chamando.

9 — Com outro alguém não procure desengano; o atual traz muito mais prazer do que dano.

10 — Faça tudo para ser mais sensual, e mostre sua beleza por igual.

11 — Realmente não há motivo para tanto, mas deixar de lhe ver causa espanto.

12 — O que vai pedir parece tragédia; pense, não lhe atenda de pronto; espere acordo.

— 88 —

1 — Parece que sim, mas não merece, tudo que faz é no puro interesse.

2 — Não se arrependa de ter duvidado; o que sente agora é demonstrado, sem os cuidados.

3 — Resistir é uma necessidade; não lute contra a realidade.

4 — Mais do que está trocando, vai se tornar objeto amoroso.

5 — Consegue o que lhe interessa; indeciso, larga tudo depressa.

6 — Não liga muito para os familiares; só em festas encontra parentes.

7 — Tem um segredo que você ignora: precisa de ajuda e já passa da hora.

8 — As razões são bem desiguais, e nenhum dos dois busca soluções.

9 — Faça bem a sua parte no trabalho, e afugente a má sorte para longe.

10 — Não deve demorar para buscar alguém; o seu coração já se cansou de esperar.

11 — A beleza cultivada com sensualidade provoca acasalamento com lucrativa prosperidade.

12 — Como você é muito sentimental, não vai achar seu sumiço natural.

— 89 —

1 — De gênios são desencontrados, para os dois haverá maus resultados.

2 — Como seu trabalho é muito firme e sério, condições para o sucesso tem de sobra.

3 — Se fosse real sua preocupação, as dúvidas se resolveriam com explicações.

4 — Lutar não está na sua conveniência; antes de iniciar, tenha paciência.

5 — Como é *sexy*, lhe custa muito pouco mostrar quase tudo.

6 — Tem sonhos frívolos demais e, para alcançá-los, "corre atrás".

7 — Estando sozinho a vida é péssima; mas junto da família se alegra e tudo aprecia.

8 — Precisa mas ainda não vai aceitar; você propõe tão pouco que lhe faz chorar.

9 — Como a razão não está do seu lado, o melhor é você ficar bem calado.

10 — O oráculo está bem seguro: não espere o azar obscuro.

11 — Pensa muito em você e quer voltar; no momento só deseja lhe completar.

12 — A beleza sempre encantará a vida e provocará paixões inesquecíveis.

— 90 —

1 — Melhorias de trabalho serão visíveis, com investimentos na educação e na alfabetização digital.

2 — Pela excessiva dose de convivência, logo um dos dois perderá a paciência.

3 — A partida para o sucesso foi dada; a primeira etapa já foi vencida.

4 — Seja verdade ou fingimento, suas dúvidas têm fundamento.

5 — Com nobreza por parte dos dois, o fim das brigas trará alegrias depois.

6 — Gosta muito de seduzir pela beleza; sua vaidade não é sinal de castidade.

7 — Quem procura vida melhor com coragem não vê sérios obstáculos pela frente.

8 — Sente saudade quando está distante; na convivência, a briga é constante.

9 — Se por acaso não receber mais ajuda, prepare-se, pois sua união vai sofrer.

10 — O que foi feito de acordo com a razão é claro que não precisa de discussão.

11 — Terá sorte com quem deseja ter amor; em outras coisas, tente não se apressar.

12 — Os dois ficarão felizes e contentes, e voltarão dez vezes mais ardentes.

— 91 —

1 — O moço que não encontra bom trabalho, deve tentar as Forças Armadas.

2 — Não se preocupe com sorte ou o azar — para quem tem conhecimento, sucesso não faltará.

3 — No início tudo bem: na copa, na sala, no banheiro e no quarto, o sexo traz paz.

4 — De início muita sorte não terá, mas o destino logo vai ajudar.

5 — Sua resposta não é muito objetiva; assim o destino não esclarece as dúvidas.

6 — Quando não há mais solução, é bom lutar por outra paixão.

7 — Só gosta quando tem provas, que lucra com nova conquista.

8 — Procura mais por inveja; é provável que não queira ficar por baixo.

9 — Para a família destina amor com calor, pois ela merece, é o que a vida ensina.

10 — Sua ajuda é insignificante, o que lhe força a mudar de amor.

11 — Quando existirem fatos problemáticos, resolva logo com atos muito práticos.

12 — Sua vida tem sorte e encanto; e pode até surgir inveja.

— 92 —

1 — A boa fama, conseguida com esforço, traz gratificante e válida prosperidade.

2 — Seu destino está no mar: ou você se alista na Marinha ou vai pescar.

3 — O conhecimento é o verdadeiro poder que facilita a busca da prosperidade.

4 — Enquanto houver o suporte financeiro, o paraíso será morada do casal feliz.

5 — Não creia muito em "negócios da China"; tudo é difícil, a vida sempre nos ensina.

6 — Sua dúvida agora lhe transtorna; seduzir beleza inocente não faz o menor sentido.

7 — Quando existe amor de verdade, lutar é uma real necessidade.

8 — Vale conservar o seu bom casamento; não vá para outro tornar-se objeto.

9 — Por vaidade quer ter doce vida, e não se sentir como carta fora do baralho.

10 — O suporte familiar que recebe traz alegria e esperança.

11 — Se tivesse amor secreto, agora teria os bolsos repletos.

12 — O amor acalma, e você recuperará o ânimo; juntos, não haverá razão para reclamar.

— 93 —

1 — No papel todos os projetos são possíveis; comece devagar, sinta o terreno e vá crescendo.

2 — Haverá prosperidade por completo, mas a inveja pode atrapalhar a sua situação.

3 — Como na sua família há muitos doutores, com o apoio deles, siga a mesma carreira.

4 — Se você não é capaz no trabalho, considere-se fora de órbita.

5 — O destino já lhe encaminhou o amor que viverá bem e em paz ao seu lado.

6 — Não tenha dúvida de que o sucesso será real, com a cooperação do grupo, que é essencial.

7 — Acontece que a dúvida é real; seu interesse é de fato carnal.

8 — Se tem intenção de brigar, será mais útil a separação.

9 — Quando lhe vê, mais capricha; seus dotes de beleza lhe atiçam.

10 — Aquilo que tem lhe basta; é feliz com o pouco que gasta.

11 — Em toda a vida não há nada mais precioso do que o carinho afetuoso dos pais.

12 — Se de auxílio não havia precisão, alguém lhe consertou a situação.

— 94 —

1 — Os negócios progredirão, mas cuidado; antes de correr, você tem de caminhar.

2 — No princípio você tem de ter um capital relativo e reservas, por alguns meses, para tocar o projeto.

3 — Segundo indícios do destino feliz, você terá posição bem elevada.

4 — O destino lhe diz: a colheita do sucesso para você está nos campos de cultivo.

5 — Se você não cumpre o que lhe reserva a sorte, prepare-se para enfrentar as dificuldades.

6 — Se como solteiros o casal continuar, a união será muito difícil de vingar.

7 — Se a labuta for constante, o sucesso virá de forma galopante.

8 — Que diga o pobre doente e apaixonado quanta dor sente, com as dúvidas de amor.

9 — Quando a boa relação termina, é conveniente lutar pelo amor.

10 — Com você irá para a cama para lhe possuir e depois sumir.

11 — Satisfazer seus desejos é impossível; sua vontade de melhorar enlouquece.

12 — Pelo suporte da família fica grata; é visível a dedicação de quem a ajuda.

— 95 —

1 — Quanto mais você adiantar seu plano, terá maior lucro com menor esforço.

2 — Se você tiver ajuda da família, os negócios vão ser melhores.

3 — Antes de correr você tem de caminhar; vá devagar com seu projeto, para não se atolar.

4 — Trabalhando até tarde, como faz agora, conseguirá prosperar em boa hora.

5 — Pelo seu talento e grande carinho, sua carreira pode ser a pediatria.

6 — Boas perspectivas você vai encontrar, acompanhando o progresso tecnológico.

7 — Com o calor da sensualidade, haverá muito amor e harmonia.

8 — Como está de boa fé e preparado, com o tempo o sucesso vai conhecer.

9 — A dúvida é uma pena muito dura, que ainda tira o prazer da vida.

10 — Discutir, lutar, separar-se e arrepender-se: com outro amor, o mesmo vai acontecer.

11 — Gosta tanto e é tão descuidada que não parece bem intencionada.

12 — Procura melhorar para deixar herança; já não deseja levar nem ouro, nem prata.

— 96 —

1 — Mil vezes você vai ser bem feliz, se seu estado de riqueza mantiver.

2 — Os seus lucros serão tantos e tais o bastante para realizar seus ideais.

3 — Fique de olho aberto no parceiro, pois sua sorte lhe causa inveja.

4 — Seu projeto deve ser iniciado com cautela; dando certo, reinvista e não saia desviando verba.

5 — Se o rapaz não se move à toa, será homem muito próspero.

6 — Segundo os indícios do destino, siga a carreira de administração.

7 — O destino lhe dá indícios de que sem estudos ninguém vai sair da mediocridade.

8 — Em fevereiro o casal sentia amor; em setembro tudo acabou em guerra.

9 — No sucesso desconfie dos falsos e tenha cuidado com os que falam só o que você quer ouvir.

10 — Perceba pelo seu abatimento que uma dúvida lhe atormenta.

11 — A briga não deve ser a decisão; separar-se seria sábia solução.

12 — Gosta de ser desejado com freqüência; fazer amor, só com gente de influência.

— 97 —

1 — Terá perdas muito grandes, mas que não abalarão seus fundos.

2 — Não espere grande fortuna; falta-lhe a vontade de lutar.

3 — Como trabalha com muito afinco, pouco a pouco dobrará seu ganho.

4 — Se os perigos não lhe espantam, aumente a produção e a cautela.

5 — São quatro os elementos do bom projeto: capital, reservas, trabalho e sabedoria.

6 — Você é muito eficiente e dedicado, e prosperidade não vai faltar.

7 — Pode seguir a carreira política; você fala bem e tem bons ideais.

8 — Você pode realizar vários trabalhos; ao melhor deles você deve se dedicar.

9 — Celebrado o matrimônio, acaba a paciência; o demônio aparece, pois tudo observa.

10 — Não perca a cabeça com o sucesso; prepare-se contra crises e recessões.

11 — A julgar por seu exterior, é real sua dúvida de amor.

12 — Não deve haver o rompimento; antes, tenha mais amor e talento.

— 98 —

1 — Para fazer fortuna hoje, você precisa estar envolvido nas áreas de influência do governo.

2 — Por mais que acumule suas rendas, as despesas trarão desequilíbrio.

3 — Você não será tão rico, mas com o tempo conseguirá alcançar mais que o normal.

4 — Do modo como encara seu trabalho, você pode esperar bons resultados.

5 — Creia que você terá bons concorrentes, hábeis e fortes; prepare-se para a luta.

6 — Enfrentar novo projeto sozinho é difícil e encontrar um bom sócio é raro; espere a hora certa.

7 — Você será bastante próspero entre pessoas que mostram não ser muito inteligentes.

8 — Pode seguir a carreira diplomática, se você quiser conhecer o mundo inteiro.

9 — O trabalho será cheio de penas e alegrias, sempre lutando, veremos passar os dias.

10 — Juntos serão bem felizes; só depois de algum tempo surgirão deslizes.

11 — Sucesso o destino anuncia para o afortunado; muito poder terá um dia o bem-intencionado.

12 — Para sua dúvida não trazer impacto, mente e faz de conta que nada vê.

— 99 —

1 — O importante na vida é a vida que se leva.

2 — Para obter fortuna deve herdar, ou casar com pessoa rica, ou ter sorte no trabalho e lucrar.

3 — Se você não se cuidar, diz o destino, suas perdas serão inevitáveis.

4 — Aquele que não se contenta com pouco também não se alegrará com muito.

5 — Pelo muito que vai lhe sobrar, irá chamar atenções perigosas.

6 — Como você é prudente, devagar verá seu bom trabalho gratificado.

7 — Antes de iniciar, faça pesquisas, testes, experimentações, e tenha certeza do sucesso.

8 — Com boa prosa, gênio e ousadia, ninguém vai poder segurar sua vontade de prosperar.

9 — A carreira que mais lhe convém é a de sociologia, para politizar.

10 — Em seu trabalho procure se firmar, e saiba que aquele do vizinho você não pode considerar.

11 — Com doçura, amor, sexo e com o vigor da vida, só podem viver felizes.

12 — O seu sucesso pode não ser total; é perigoso não fazer a tarefa por inteiro.

— 100 —

1 — Se não houvesse contrariedades, a Terra seria a perfeita morada.

2 — Dessa vida não se leva nem ouro, nem prata, somente a certeza do bem e do mal praticados.

3 — Você trabalha bem por cinqüenta anos, vive bem, mas nunca adquire uma fortuna, como os políticos.

4 — Por agora, dizem os astros, você deve desdobrar-se no trabalho.

5 — Será rico algum dia; basta confiar em seu trabalho.

6 — Muito você já conseguiu, mas a sorte nem sempre dura.

7 — Você não vai demorar muito a progredir, convivendo bem com seus clientes.

8 — Quanto mais interesse houver em torno do seu projeto, não vacile, e inicie-o do modo certo.

9 — Se você fizer tudo o que lhe cabe, sem dúvida alcançará pleno sucesso.

10 — Pode seguir a arte de bem curar; ficará cansado, mas terá bem-estar.

11 — Faça bem o trabalho que o momento sugere, até que surja a oportunidade que você prefere.

12 — Surgirão muitas queixas e brigas; depois acaba a paz, para um, hoje, e para o outro, amanhã.

— 101 —

1 — Você terá melhor saúde no verão; cuide-se mais no inverno.

2 — Nada funciona tão bem para sempre; quase tudo dá voltas na roda da vida.

3 — Importa saber que na vida o amor e o ódio, o bem e o mal, o certo e o errado alternam-se.

4 — A política corrupta, que faz acordos e vota nas medidas do governo, ganha fortunas.

5 — Se sua sorte não aproveita, pode não sair de seus problemas.

6 — Você será mais ou menos rico, ou seja, ficará entre a prata e o ouro.

7 — Mudando o conceito de seus negócios, você conseguirá reverter a situação.

8 — Trabalhe com bastante esperança, e o progresso virá sem tardança.

9 — O seu projeto deve ser executado imediatamente, se os seus produtos forem exportáveis.

10 — Tudo o que você fez sempre perdeu, sem perceber, por uma causa inútil.

11 — Sozinho ou com bons sócios, seu destino são os negócios.

12 — Saiba que nos livros já está escrito que (para ter sucesso) é preciso conhecer.

— 102 —

1 — Hoje, deve-se, planejar com todo cuidado o número de filhos.

2 — Você tem passado por males normais; deve temer somente as doenças de fato.

3 — O corpo tem mais idade, e a mente não aceita essa grande dificuldade.

4 — As injustiças continuam na vida; que importa se o lobo segue comendo a ovelha?

5 — É incrível saber que muitas das verbas sociais, são desviadas para construir fortunas pessoais.

6 — Se você insistir em trapalhadas, como as passadas, começará a perder.

7 — Você perdeu a chance de ficar rico por não ter agarrado as oportunidades.

8 — Com seu trabalho constante, pode dobrar seus rendimentos.

9 — Para progredir você precisa estar na linha de frente, não na retaguarda.

10 — O projeto deve ser executado com cuidado, pois é inteligente e tem tudo para vencer.

11 — Está trilhando o caminho da prosperidade; siga com cautela e nunca perca o juízo.

12 — Se você não pode ser um artista por vocação, seja ministro do Senhor.

— 103 —

1 — Na realidade, ninguém sabe por que vivemos; até hoje buscamos nossa misteriosa origem.

2 — Se você tiver muitos filhos, a situação ficará complicada.

3 — Se você tiver vida desregrada, sofrerá de diversas doenças graves.

4 — Uma das maiores dificuldades da vida é não poder ajudar seus filhos.

5 — O importante é saber que a família está bem, que os filhos estão encaminhados e que existem reservas.

6 — O País não é sério como dizem os estadistas e os bancos internacionais; a corrupção anda solta.

7 — Se a sorte lhe faltar, a perda dela você pode esperar.

8 — Você conseguirá ficar bem rico, porém, sem cuidados, seu dinheiro vai evaporar.

9 — Para aumentar seus lucros, você precisa de mais capital.

10 — Progrida com o produto certo, na hora certa e com o preço certo.

11 — Tudo acontece com a necessidade e a harmonia; seu projeto pode oferecer-lhe um futuro melhor.

12 — Por mais que você insista na busca da fortuna, não conseguirá, agora, atingir seus planos.

— 104 —

1 — Seus filhos serão saudáveis e, com inteligência, trarão sua felicidade.

2 — Dizem que vivemos para pagar pecados anteriores... Será que os que mais pecam vivem por mais tempo?

3 — Dois filhos, pouco serão, mas isso também é bom.

4 — Se você não se exercitar mais, sua boa saúde vai se complicar.

5 — As dificuldades da vida estão em não poder fazer aquilo que julgamos impossível.

6 — O mais importante é ter saúde de sobra, para enfrentar o trabalho e cuidar bem da família.

7 — As grandes fortunas mundiais são feitas com revoluções, guerras e vendas de armas.

8 — Pobre você nunca foi; e não será, se levantar cedo e for para o trabalho.

9 — Como você tem tantos dependentes, mais difícil será manter sua riqueza.

10 — Um inesperado sopro de sorte irá proporcionar bons lucros.

11 — Com pesquisas e tecnologia de ponta, você conseguirá exportar e progredir.

12 — Com boa razão e conhecimento você aprende; com pesquisas é possível executar o projeto.

— 105 —

1 — Freud não explica; estamos à procura de quem possa revelar os mistérios das desigualdades.

2 — Crie os filhos com carinho, cuidados com a saúde e educação e colha bons resultados no futuro.

3 — Adão e Eva pecaram comendo a maçã proibida; deve ser por isso que gostamos tanto dessa fruta.

4 — Se você se contentar com um só filho, tome cuidado para não ficar sozinho.

5 — Descanse um pouco das bebidas, e sinta como sua saúde ficará melhor.

6 — Uma das maiores dificuldades da vida é pensar que nada pode lhe ajudar.

7 — De maior importância na Terra é poder educar os filhos e liberá-los para a luta.

8 — As fortunas de hoje são obtidas pelo poder econômico, representado por corporações.

9 — Olha para a frente e para trás; não será pobre nem rico.

10 — Muito mais que o pão de cada dia, você terá a vida de classe média.

11 — Apesar de você não ter sobras, você terá o suficiente, nada mais.

12 — Examine seus negócios com atenção, pois há algo perigoso em seu destino.

— 106 —

1 — Na presente e sofrida situação, não espere nenhuma proteção.

2 — Diferentes QIs determinam destinos inversos: sucesso e fama para uns, mediocridade para outros.

3 — Aparentemente, a educação que recebem trará bons resultados.

4 — Viemos para cumprir nobre missão; amar, ter filhos e educá-los de acordo com as leis divinas.

5 — Despreocupe-se e tenha certeza de que bons filhos terá, com sucesso.

6 — Tomar vinho com moderação não vai prejudicar sua saúde.

7 — É difícil aceitar que, em sua vida, quase tudo o que acontece sofre mudanças.

8 — O que importa é sentir que tudo está dando certo em casa, no trabalho e no relacionamento.

9 — Quem tem poder corrompe e obtém fortuna, acrescida de sujeira.

10 — Não espere nada do seu bom parente; o tempo torna-o ignóbil serpente.

11 — Se não acompanhar as novas técnicas, não espere continuar com seu sucesso.

12 — Não haverá lucro sem trabalho; nada você pode realizar sem luta.

— 107 —

1 — Nessa vida fazemos constantes mudanças — o progresso é grande e as técnicas avançam.

2 — Terá proteção de alguém que você espera, pois no passado já lhe ajudou muito.

3 — Devemos aceitar que fomos criados da mesma maneira, mas, individualmente considerados, temos esqueletos e mentes desiguais.

4 — Terão filhos que lhes ajudarão, mas outros que lhes complicarão.

5 — Na vida sempre buscamos a felicidade, a paixão e a prosperidade; os resultados podem nos arranhar.

6 — Por esse ser um assunto complexo, deixe os filhos virem naturalmente.

7 — Coma bastante frutas e saladas e tenha uma vida bem saudável.

8 — Na vida nada existe de bom sem defeitos, nem de ruim sem qualidades latentes.

9 — Importa muito o amor que existe em nossos corações e que elimina conflitos sem razão.

10 — O conselho melhor para se dar aos filhos, hoje, é que façam planos de seguir carreira política.

11 — Com seu trabalho e dedicação, esteja certo, não lhe faltará pão.

12 — Todos acreditam na sua feliz estrela; valorize seu grupo, e o sucesso continuará.

— 108 —

1 — Você tem prova muito certa de um amigo que está sempre presente, nas horas boas e nas más.

2 — Com a evolução das ciências e o surgimento das viagens espaciais, a vida sofre mudanças e oferece novas esperanças.

3 — Uma das pessoas que lhe cercam vai ajudar, sem esperar retribuição, pois gosta muito de você.

4 — Até os pés têm sorte ou azar; uns sofrem com os exageros da moda, outros só buscam conforto.

5 — Você possuirá a maior felicidade da vida, seus filhos serão fortes e competentes.

6 — Alguns vivem para lutar mais que os outros, e nessa peleja sofrem durante toda a vida.

7 — Segundo as suas condições, não tenha filhos em exagero.

8 — Você tem vida regrada; não adoecerá facilmente, mas faça exames regularmente.

9 — O difícil é que a vida só é compreendida quando olhada, de frente para trás e não de trás para frente.

10 — Importa sentir que o amor vai muito bem, que os negócios prosperam e que a felicidade nos cerca.

11 — Os filhos crescem, perguntam sempre e não recebem respostas sobre as fortunas ilícitas.

12 — Somente acontecerão perdas se você fraquejar e tudo abandonar.

— 109 —

1 — A gente só deve aceitar conselhos de quem gosta da gente e se preocupa com nosso rumo.

2 — Pensa que você o enganou; por isso seu amigo vai afastar-se.

3 — Os grandes impérios mudaram as vidas; hoje o maior poder econômico dita as normas.

4 — Se essa ajuda não vier em tempo, não sei o que acontecerá agora.

5 — Os excluídos têm fome e não têm terra; sem um teto, sofrem os rigores do tempo, sem nenhuma chance.

6 — Serão muito felizes, de maneira que irão mais longe do que você pensa.

7 — Viemos para praticar o bem, evitar o mal, não pecar e ir para o céu, se ele existir.

8 — Você terá filhos, afirma o destino, e tanto homem como mulher serão bem-vindos.

9 — Se você não tem doenças hereditárias, não se preocupe; sua saúde é de ferro.

10 — Difícil é ouvir que maus tempos estão chegando, sem saber quando os bons tempos vão voltar.

11 — Importante é estar de bem com a vida, com a família, com vizinhos, no trabalho e com sua crença.

12 — Tem gente que casa com a fortuna só por interesse — serve de capacho.

— 110 —

1 — Feliz de quem pode terceirizar, hoje, os produtos de boa aceitação, com preços bons.

2 — Os melhores conselhos são os de nossos pais, que, por vezes, nos alertam com experiência.

3 — Com nenhum amigo você pode contar sempre; presentes nas festas, somem nas necessidades.

4 — Tudo na vida é passageiro, e nada muda: uma hora estamos por cima e outra por baixo.

5 — Você tem proteção e ajuda fortes, o bastante para melhorar sua sorte.

6 — Crianças nascem em favelas com água contaminada, e outras nascem no berço esplêndido do conforto.

7 — Serão hábeis em todos os sentidos: no trabalho e na busca da felicidade.

8 — Vivemos com a esperança de ir para o paraíso; se ele não existir, devemos voltar e bagunçar.

9 — O que importa é a sua saúde, ele ou ela são queridos da mesma maneira.

10 — Sua única doença é a dor de cotovelo; agarre sua paixão e não a deixe escapar.

11 — A dificuldade é que, com a idade, não ficamos nem piores, nem melhores.

12 — É importante viver em harmonia, eliminando atos e paixões misturados nas discordâncias.

— 111 —

1 — A desistência muitas vezes é coisa dos fracos; o forte luta por seus direitos até a última instância.

2 — Se você tem marca, pode tornar-se grande terceirizador; é só comprar e vender.

3 — Aceitaria de bom grado receber conselhos; por que é que coisas más vêm para os bons?

4 — Seu amante companheiro vai surpreender-lhe; além de seu amor, vai deixá-la bem financeiramente.

5 — Podemos mudar quase todas as coisas na vida, menos a nação, o governo e a política.

6 — Por seu caráter e postura, poderá contar bastante com a ajuda reconhecida da chefia.

7 — Diferenças de sorte são muito acentuadas: uns nascem para trabalhar na cozinha, e outros se fartam nas salas de jantar.

8 — Terão alegria em aprender e prosperar e, salvo melhor parecer, nada impedirá seu sucesso.

9 — Não somente vivemos para criar filhos e bem educá-los, mas também para satisfazer nossas realizações pessoais.

10 — Terá poucos filhos, boa educação, carreira brilhante e prosperidade.

11 — Depois de tanto malhar, você sentirá dores por todo o corpo e descansará.

12 — Se a vida for encarada com habilidade, por certo lhe trará pouca dificuldade.

— 112 —

1 — Dos castigos com que tem sonhado, nenhum mostra que você vai enviuvar.

2 — Não devemos desistir da nossa paixão; sem "pegar no pé", consegue seu amor.

3 — Produzir é mais difícil; deixe essa carga para o fabricante que não sabe pensar.

4 — Antigamente os conselhos apoiavam-se nos temas de céu e inferno, hoje desmoralizados.

5 — Ontem, você não tinha um amigo bom e leal; agora, com fortuna, apareceram muitos, e falsos.

6 — Ao contrário dos tempos feudais, hoje as pessoas podem mudar sua sorte com trabalho dedicado.

7 — Você deve e pode sentir na pele que terá proteção daquele que lhe quer, com paixão.

8 — Alguns acreditam que os calmos de espírito são de almas mais evoluídas e que as inferiores sofrem mais.

9 — Se forem muito bem esclarecidos, trarão resultados quando crescidos.

10 — Vivemos procurando progredir na vida pessoal e no trabalho, para ajudar a família a se realizar.

11 — Com as facilidades anticoncepcionais, pode-se planejar a família ideal.

12 — Na vida, somos testados com doenças, que põem em prova nossa paciência.

— 113 —

1 — Poderá receber herança que lhe dará muito trabalho na partilha judicial.

2 — Luto o destino pode lhe trazer e, se você enviuvar, coitado de você.

3 — Quando os negócios estão difíceis, os mais persistentes ganham, e os outros perdem.

4 — Sempre comprarei e venderei, jamais fabricarei — terceirizar é a meta.

5 — Todas as coisas são diferenciações de uma mesma coisa; é difícil receber conselhos certos.

6 — Não espere muitos amigos sinceros; a maioria que está ao seu lado o faz somente por interesse.

7 — Com boa educação e inteligência, o homem pode, hoje, galgar melhores posições sociais.

8 — Se sua estrela lhe protege bem, entregue-se a ela de corpo e alma.

9 — Podemos observar que, durante a curta vida, existem poucos doadores e muitos tomadores.

10 — Se sua educação for mais que aceitável, de remédios para entendimentos não precisará.

11 — Na vida, buscamos a felicidade, e, quando a encontramos, colocamos onde não estamos.

12 — Pelo orgulho que lhe deu o primeiro, é aconselhável o segundo e o terceiro.

— 114 —

1 — Terá boa safra de café, soja, milho e cana; infelizmente não haverá garantia de preços.

2 — Sua maior herança será o amor que seus pais plantaram em seu coração.

3 — Conforme-se com a viuvez, e não se case mais uma vez.

4 — Você tem lindos sonhos, e deles não desista; lute com força para consegui-los.

5 — Boas idéias, boa marca e avanço da técnica — passe tudo para quem tem preço e qualidade.

6 — Quem refletir com esforço sentirá que, para suas dúvidas, você recebe conselhos sem nexo.

7 — Tem um que parece ser bom e fiel; os outros só aparecem nas horas boas.

8 — Tudo muda na vida quando você passa da infância à puberdade, depois da idade adulta à maturidade.

9 — Continue com os santos de sua devoção, e nunca lhe faltará a sagrada proteção.

10 — Assim como os dedos da mão não são iguais, na mesma família há diversos destinos.

11 — Não existe preço para os sorrisos de seus filhos, felizes e inteligentes.

12 — A vida consiste no poder do jovem, que não sabe, e na urgência do velho, que sabe, mas não pode.

— 115 —

1 — Injustiças cometidas na Terra são pagas, uns aos outros, com castigos e expiações.

2 — O ano será bom e produtivo, fato que aumentará o lucro.

3 — Qualquer herança será bem-vinda, desde que seja com amor e justiça.

4 — O destino quer a perda, e sofrer será seu carma.

5 — Seja como bom zagueiro: marque muito o centroavante, siga-o pelo centro e pelas laterais, até mesmo quando for ao banheiro!

6 — Agora você pode contratar o quarteirizante, que irá controlar todas as ações do terceirizante.

7 — Quando surge uma crise conjugal, você não deve aceitar conselhos de quem se deu mal.

8 — Se espera que as amizades sejam sinceras, pode desistir, e bem rápido.

9 — A paixão é passageira; dura enquanto o prazer não for mudado pelo tédio.

10 — Veja como é o destino: agora quem lhe apóia sofreu antes grande oposição da sua parte.

11 — Quando os diferentes destinos se cruzam numa boa paquera, num olhar, é conveniente verificar a voltagem.

12 — A educação e a motivação farão de seus filhos homens prósperos.

— 116 —

1 — A exportação deve ser conseguida se você procurar a aceitação de seus artigos lá fora.

2 — Conforme a determinação do tempo que passa, sofremos na Terra, pagando o que não sabemos.

3 — Terá sua produção bem vendida; repita seus esforços nas mesmas medidas.

4 — Case com pessoa rica e una o útil ao agradável, mas saiba disfarçar.

5 — Se você espera enviuvar, olhe antes para sua saúde fraca.

6 — Quem desiste facilmente nunca está pronto para enfrentar problemas mais difíceis.

7 — A globalização nada mais é que a terceirização — prestamos serviços para as nações mais ricas.

8 — Procure sempre os conselhos dos mestres a respeito do comportamento de seus filhos.

9 — Sabemos que as pessoas têm companheiros na vida, porém nem todos são amigos sinceros.

10 — Os pais devem estar atentos e ajudar os filhos nas mudanças de suas vidas profissional e familiar.

11 — Não faltará alguém de bom coração para lhe ajudar nessa precária ocasião.

12 — Até no amor os destinos se mostram desiguais: sempre gostamos de quem não gosta da gente.

— 117 —

1 — Como o juízo não se troca, você ganhará pela astúcia.

2 — Se você manufatura bem um produto procurado, viaje, traga amostras, faça melhor e depois volte.

3 — Se nossos pais, de espíritos limitados, nos perdoam, não deveríamos sofrer o castigo do Eterno.

4 — Segundo indica o destino, sua colheita não será das piores.

5 — Os ingratos e incautos deixam metade da herança; a outra parte vai para o governo.

6 — Aquele que espera enviuvar até poderá marchar primeiro.

7 — Quando os filhos estão em fases existenciais críticas, os pais nunca devem desistir de lhes dar conselhos.

8 — A terceirização deve ser feita por empresas com melhores setores de vendas e de marketing.

9 — Se os conselhos fossem bons, não haveria tanta gente fugindo de idéias diferenciadas.

10 — Os filhos devem compreender que seus principais amigos são seus pais.

11 — Lutamos para mudar nossa vida árdua, e temos de nos superar na busca do sucesso.

12 — Você nasceu sob o signo do destino justo; siga seu caminho e colha os frutos da alegria.

— 118 —

1 — A sociedade com os pais vai muito bem; com os irmãos, é provado que não funciona.

2 — Justiça e tribunais existem; para ganhar a causa, cuide do essencial.

3 — Você deve procurar exportar qualidade, com preços competitivos, na hora certa.

4 — O nosso sofrimento na Terra seria eliminado se fosse amenizado pelo Senhor bondoso.

5 — Este ano, tudo indica, será melhor que o anterior; a produção está toda vendida.

6 — Sem organização, sem testamento e inventário, o doador deixará problemas para a família.

7 — Mais tarde, quando enviuvar, golpe de morte você sofrerá.

8 — Quando existem crises no lar ou falta amor, ou há insistência do mais sensato.

9 — Produtos inteligentes e atualizados, por sua eficiente equipe de desenvolvimento, devem ser terceirizados.

10 — As brigas entre casais são resolvidas debaixo das cobertas; não aceite conselhos.

11 — Explique para seus filhos que alguns colegas escolhidos talvez não sejam boa companhia.

12 — O uso de nosso livre-arbítrio deve ter o ideal de mudar as atitudes pejorativas para positivas.

— 119 —

1 — Não se pode acreditar num Deus criado pelos humanos, representado por imagens.

2 — No início, tudo certo, com gentilezas de ambas as partes; depois, surgem desavenças sem fim.

3 — Apesar de ganhar a justa causa, dinheiro que é bom não vai levar.

4 — Se você tentar exportar com qualidade que deixa a desejar, guerra de preços enfrentará.

5 — Homens e mulheres são volúveis como o vento; a carne é fraca, por isso aqui pecamos e vamos sofrer.

6 — Com amor você se realizará mais, e com a convivência tudo ficará melhor.

7 — Hoje é muito raro receber valores reais; a organização engloba tudo, sem dividendos.

8 — Não pergunte quando acontecerá, pois não muito cedo enviuvará.

9 — A persistência é uma virtude invejável, porém desistir na hora certa é de bom senso.

10 — A globalização das corporações, imposta pelos governos ricos, impede a evolução dos países pobres.

11 — Quer a minha opinião? Não procure os conselhos de leigos; consulte sempre um advogado de confiança.

12 — Muitos colegas você vai ter durante a vida; alguns serão amigos reais, por predileção.

— 120 —

1 — Evite irritações ajudando a si próprio e Deus lhe ajudará na mesma proporção de seus esforços.

2 — Não há crença capaz de impor a existência de um Deus do céu e do inferno, que castiga seus filhos.

3 — O sócio mais velhaco prejudicará o que trabalha, sem tempo para politizar.

4 — Que ganhe a disputa é conveniente, porém prossiga com as averiguações.

5 — Para exportar você deve pesquisar, ter bom vendedor, boa qualidade e visitar clientes.

6 — Tanto quanto permitem a razão e o coração, os homens não entendem o sofrimento na Terra.

7 — Sua família este ano estará muito feliz, pois o filho conseguirá entrar numa boa universidade.

8 — Você trabalha muito, e acumula ações sem distribuição.

9 — Pouco tempo depois de se casar, será difícil suportar a viuvez.

10 — Persistir para conseguir as coisas boas da vida é muito certo; perseverar nos erros é bobagem.

11 — A legislação trabalhista, os altos impostos e os juros altos sugerem terceirização.

12 — Em casos de família, quem melhor sabe são os pais, pois dão conselhos pelo que já viveram.

— 121 —

1 — Constância exige no momento, e quer amor e frenesi, sem se casar.

2 — O alto custo brasileiro irrita o lutador que se esforça e não consegue sobreviver.

3 — Nada deriva do acaso; se conseguiu riqueza com dificuldade, mantenha sua simplicidade.

4 — Você perde mercado porque a concorrência visita, agora, clientes que viviam com você.

5 — Na vida incerta uma pessoa sofre mais; será sorte, azar ou erro de cálculo?

6 — Haverá certa melhoria se você continuar procedendo de maneira inteligente.

7 — Ter sorte com o amor, com a família, com os negócios é melhor que os jogos de azar.

8 — Todas as almas, grandes ou pequenas, estarão separadas ou juntas na vida após a morte.

9 — O amigo que sempre quer tirar vantagens some na hora do aperto; não é confiável.

10 — O amor deve ser gozado entre quatro paredes, para ninguém ficar sabendo de seus segredos.

11 — Seu desejo é viver no conforto, em boa vizinhança, freqüentar bom clube, criar família e cultivar o amor.

12 — Você será merecedor de longa vida se evitar o mal e praticar o bem.

— 122 —

1 — Se você for bem constante, receberá muito amor.

2 — Pode se tornar mais que amante, sem se casar, tendo uma relação constante.

3 — Queixar-se demais causa atrito emocional e mental, tenha alegria e afaste a irritação.

4 — Tem conseguido riqueza com razão e, por felicidade, agora você consolidou sua força.

5 — Diminua a concorrência com sua presença junto à linha de produção de fornecedores e de clientes.

6 — Todos jogam nas loterias e procuram ganhar com a sorte; o azar não é bem-vindo.

7 — Logo que você tenha boa vontade, seus resultados serão mais elevados.

8 — Fuja do jogo e tente marcar presença com seu amor; não perca momentos felizes.

9 — Os espíritos, juntos, têm muita força e poder; cansados da ida e da volta, podem conflitar.

10 — Nos negócios, quem muito promete e não cumpre — diversas vezes — pode-se prejudicar.

11 — Amar em segredo não é possível; se um sabe, muitas pessoas saberão.

12 — Havendo saúde na família, meio caminho já está andado; o resto resolve-se com trabalho.

— 123 —

1 — Quase morre de susto, pois você foi muito injusto.

2 — Bem pudera esse parceiro me amar em primeiro lugar.

3 — Quer todo o prazer que pode dar; deseja-lhe até cansar, depois voltar.

4 — Quem critica as ações dos que lhe cercam irrita todos e acaba perdendo a estimação.

5 — Sua riqueza será mantida, pois você e sua família têm os pés no chão e são bondosos.

6 — A concorrência existe para seguir o líder, copiando-o no que faz bem, com preços reduzidos.

7 — A sorte e o azar só podem ser almas gêmeas — alternadamente, um vem, o outro vai.

8 — Não se queixe mais da falta de sapatos; você pode encontrar alguém que perdeu os pés.

9 — Quanto mais perto você estiver de seus filhos e de seu amor, mais você ganhará.

10 — O espírito pode habitar tanto os seres vivos como a natureza — a escolha depende de cada um.

11 — Quem se apresenta com emoções de medo, ressentimento, culpa e inveja não inspira fé.

12 — Você precisa descobrir os segredos dos filhos antes que se percam ou que tomem más atitudes.

— 124 —

1 — No começo tudo bem, ninguém trai ninguém.

2 — Mesmo querendo compaixão, seu coração está em conflito.

3 — Mais do que qualquer revelação, tem por você verdadeira aversão.

4 — Quer muito enganá-la; seu plano é não se juntar.

5 — Os egoístas irritam-se pelo simples fato de que o sucesso não dependeu deles.

6 — Você somente perderá riqueza envolvendo-se no jogo, na farra e descuidando de seus negócios.

7 — O concorrente existe no amor; gosta da mulher que parece feliz em companhia de pessoa legal.

8 — Queremos sorte no amor, na família, na vida; não existe bem ou mal que sempre dure.

9 — Enquanto fica em casa a sonhar, você está muito longe de melhorar.

10 — Fuja do jogo como o diabo foje da cruz; freqüente igrejas, reze e seja muito feliz.

11 — Se depois da morte tivermos outra vida, ficaremos com os bons da família ou separados.

12 — É bom ter alguém de confiança por perto para cuidar de seus filhos, numa emergência.

— 125 —

1 — Na realidade tem grande ciúme, mesmo que em mau caminho você não ande.

2 — A traição surge de muita frescura, que impede a necessária ternura.

3 — Em completa calma, irá gozar o prazer da alma.

4 — De acordo com sua intenção, só mostra você como exibição.

5 — Se sua vontade é casar-se, mude de imediato seu par.

6 — Tomar decisões erradas irrita as pessoas e revela sua mediocridade aos colegas.

7 — O seu esteio é sua família: mulher bonita, inteligente e filhos bem criados.

8 — O concorrente safado não procura seu amor, e sim desunir casal apaixonado.

9 — Devemos desejar boa sorte, até para nossos inimigos, para não atrair azar.

10 — Para você melhorar a situação, já comece a mudar seus pensamentos.

11 — Tenha mais amor pelos seus entes queridos; não troque sua presença nem por um bom jogo.

12 — Se for para os espaços siderais, sofrerá castigos por ter se separado da Terra.

— 126 —

1 — Muitas vezes se impressiona — mil males a fofoca ocasiona.

2 — Tem ciúmes, pois já sabe que à noite outro aparece.

3 — Pode ser que traia, porém de forma discreta e ligeira.

4 — Pela luz do destino seu coração não pode cometer um desatino.

5 — Já está muito pertinho de lhe amar com carinho.

6 — Por melhor que você ainda faça, seu amor procura outra caça.

7 — Negócios que vão mal, fadiga e ações erradas não podem justificar a irritação com a família.

8 — Seus negócios vão muito bem, e manterá sua riqueza com a ajuda do grupo bem formado.

9 — A concorrência desleal não dura muito tempo; o desonesto acaba fazendo mal a si próprio.

10 — A sorte e o azar têm suas diferenças, ou por obra divina, ou por forças astrológicas.

11 — O que deve procurar para melhorar somente você sabe onde encontrar.

12 — Você não ganhará dinheiro com o jogo — um pouco no começo, depois perde tudo.

— 127 —

1 — Muito arrependido está agora, e depois ainda se sentirá pior.

2 — Não estando ao seu lado, acredita sim, e demasiado.

3 — De verdade faz cenas de ciúmes, mas lhe quer de todas as maneiras.

4 — É presumível que irá trair; seus desejos são incontroláveis.

5 — Vive um intenso prazer; só basta ver para crer.

6 — Você vai ter prova evidente de que lhe ama loucamente.

7 — Seu amante já está a caminho, só falta você o tratar com carinho.

8 — Quanto mais você se irrita, mais fica deprimido e incapacitado de raciocinar com calma.

9 — Trabalho de equipe bem remunerada, feliz, competente e cumpridora mantém riqueza.

10 — O seu concorrente pode ser um de seus amigos, tome cuidado com suas confidências de amor.

11 — As diferenças da sorte podem ser controladas pelo poder divino ou pela força da natureza.

12 — Somente os estudos podem melhorar suas aptidões para um bom trabalho.

— 128 —

1 — Suas fraquezas de amor, se confessadas, trarão pavor.

2 — Enquanto não arcar com a conseqüência, do arrependimento não tomará consciência.

3 — A qualquer boato dá atenção, e esse é seu mal, sem razão.

4 — Tem ciúmes sem necessidade, pois recebe amor com lealdade.

5 — Ainda que tente lhe agradar, até traição você pode esperar.

6 — Está feliz com seu amor, que é pessoa de valor.

7 — O seu amor é só por interesse; não gosta mais de ficar com você.

8 — Não será grande o seu azar se por mais tempo esperar.

9 — No plano mental a irritação causa sintomas de tristeza, negatividade, desamor e depressão.

10 — O sucesso dos negócios depende de inovações, bons equipamentos e bastante riqueza de idéias.

11 — O experiente com mais tempo de janela já deveria ser consultado contra a concorrência.

12 — Quando a sorte persiste na casa do justo, todos devem agradecer ao Deus presente.

— 129 —

1 — Motivos não está causando para o que está pensando.

2 — Até para o caçador perfeito a presa foge sem respeito.

3 — De novo tudo repetiria, e outra vez nada sentiria.

4 — Não acredita, pois percebe que somente mentiras recebe.

5 — Tem ciúmes significativos até quando não há motivos.

6 — Não ignora que é seu dever ser fiel contigo, até descrer.

7 — Depressa muda suas vistas, para outra nova conquista.

8 — Se sente que não é amada, você muito se engana.

9 — Será difícil hoje se casar; a vida ensina a variar.

10 — Não se irrite com coisas passadas; você não pode mudá-las, então esvazie seu coração.

11 — Acompanhe o que acontece no mundo, viaje, aprenda e "globalize" para manter a riqueza.

12 — Tenha muita cautela com a concorrência — tire proveito e lucre com suas deficiências.

— 130 —

1 — Pelo que o destino mostra, essa volta você não evitará.

2 — Ainda que lhe ame bastante, mostra que não é constante.

3 — À sua fama de inconstância só você não dá importância.

4 — Arrependeu-se, nesse momento, pelo erro que trouxe sofrimentos.

5 — Ouve muito e pondera, mas, sendo boatos, nada considera.

6 — Tem ciúme doentio, causador de seu martírio.

7 — Transa ruim, comida sem sabor, viagens, dinheiro e outro amor.

8 — Dará seu corpo com prazer, mas o coração não irá junto.

9 — Você não merece que lhe queira; agora, de nenhuma maneira.

10 — Por mais que se fale em casamento, mais distante fica esse pensamento.

11 — O egoísmo é uma doença, fonte de irritação; a verdadeira sabedoria é valorizar o grupo.

12 — Com inteligência você manterá a riqueza; porém, melhor que isso, é a felicidade familiar.

— 131 —

1 — Alguém poderá de repente forçar união conveniente.

2 — É muito difícil se desligar, e perto de seu corpo quer ficar.

3 — Se não receber bastante amor, pode buscar um substituto.

4 — Carinho, jogos de amor e liberdade trazem muitos perigos.

5 — Está longe de se arrepender; aprova o que fez por dever.

6 — Deixa-se levar muito facilmente por fofocas, inutilmente.

7 — Em questões de ciúmes mostra de verdade que não é sensível.

8 — Suas qualidades não permitem a traição.

9 — Mesmo se achando traído, seu coração está doce como mel.

10 — Seu destino é esse amor, e atrás dele vá com vigor.

11 — Não é um sonho pensar em casamento; hoje essa idéia afugenta os indecisos.

12 — Irritamo-nos quando temos a certeza do assunto e as pessoas teimam em discutir.

— 132 —

1 — Está amarga e tão triste, mais do que o destino permite.

2 — Será talvez mais que arriscado viver com alguém desconhecido.

3 — Bem que poderia esquecer, mas falta-lhe esse querer.

4 — De todas as maneiras mente, e percebe-se que não é inocente.

5 — Guarda alguém com muito cuidado, pois tem medo de ser apanhado.

6 — Não se arrepende; pensa que sua razão é imensa.

7 — Sem mentiras lhe queria antes; acredita hoje em outros falantes.

8 — Como já foi traída por vezes, terá ciúmes por muitos meses.

9 — Seu caminho não foi honesto, e sua traição foi por vingança.

10 — Seu coração deseja com excesso um pouco mais de bom sexo.

11 — Mal existe hoje em dia o amor que antes sentia.

12 — Passam os anos e nada de se casar; os dois gostam da idéia de se juntar.

— 133 —

1 — Muitas notícias aparecerão, sem motivar preocupação.

2 — Está muito feliz e prazerosa, pois espera uma vida gostosa.

3 — Com outra pessoa viverá e, feliz, não se arrependerá.

4 — Para o antigo caso voltará, por mais amor que receba.

5 — Acalme-se, pois saberá, no fim, que por outro não está interessada.

6 — Não tenha tanta desconfiança; faça amor sem muita cobrança.

7 — Se lhe ofendeu sem razão, aguarde uma satisfação.

8 — Boato contra não dá certo; em você ainda tem fé.

9 — Tem ciúmes de forma ocasional, pois o desejo não é somente espiritual.

10 — Enquanto nada lhe faltar, sem traição você vai ficar.

11 — Seu coração pode perder o juízo, pois amor demais traz prejuízo.

12 — Da vida não continue reclamando, pois esse amor está começando.

— 134 —

1 — Claro que se comunicará; logo digitará uma mensagem.

2 — Breve o destino se encarregará de trazer notícias agradáveis.

3 — Está um tanto complicada, porém a crise será aliviada.

4 — Outra união desmente, mas novo caso existe.

5 — Verdade que não quer sair da risca, mas os encontros são de sair faísca.

6 — Não desconfie; a sua paixão não tem por outro o desejo que sente por você.

7 — Não existem provas verdadeiras de que seu amor seja volúvel.

8 — Não se arrepende do que fez; julga-se inocente dessa vez.

9 — Em fofocas nunca se concentra, pois nelas pouco acredita.

10 — Tem ciúmes da sua gastação, pois beneficia a outra, sempre em ação.

11 — Como procura sua segurança, não há traição, e sim esperança.

12 — Seu coração está sendo conquistado por quem se sente bem amado.

— 135 —

1 — Irá ao encontro certamente, pois lhe quer e aguarda ansiosamente.

2 — Explicará fato importante quando não estiver distante.

3 — Notícias tardias vai receber, depois que nada possa fazer.

4 — Mais ou menos, ou tal e qual, modo de falar, nem bem, nem mal.

5 — São muitos os que querem variação; são infelizes, pois procuram em vão.

6 — Voltará com muita indiferença, para não cometer imprudência.

7 — Apesar de ter certa vaidade, nada vai além da curiosidade.

8 — Tem e não se arrepende; não espere que se emende.

9 — Arrepende-se muito pouco por ter agido como louco.

10 — Ainda que não queira crer, bem deseja as razões saber.

11 — Quem não tem ciúmes não ama; se amar, terá a chama do ciúme.

12 — Pouco amor e muita prosperidade, e a infidelidade virá com discrição.

— 136 —

1 — Tendo indícios de seu interesse, faria muito mais sacrifícios.

2 — Não vai; até gostaria, porém seu mau gênio não enfrentará.

3 — Se não tivesse algum receio, acabaria logo com esse anseio.

4 — Receberá boas notícias; tudo será uma delícia.

5 — Está feliz sem raciocinar bem; por amor vai amargar.

6 — Bem vivida, a nova situação só poderá trazer satisfação.

7 — Sim, é notório que voltará, pois sem esse prazer não ficará.

8 — Tem só afeição por outra pessoa, fato que não motiva a traição.

9 — Tem e, ainda que queira se afastar, dessa ardente paixão muito depende.

10 — Sem dúvida não se arrepende; você não cuida de quem lhe ama.

11 — Não acredita em boatos falsos; trazem má fé e são perigosos.

12 — Sim, pelo acerto do sexo nasce o ciúme sem nexo.

— 137 —

1 — Prefere passar mais tempo com você, e não pensa em perder sua companhia.

2 — Sacrificar-se foi uma solução que lhe molestou o coração.

3 — Se não chegar em tempo hábil, é por que houve algum impedimento.

4 — Se a barra está pesada, logo terá informações.

5 — Sem dúvida receberá notícias — queira Deus sejam propícias.

6 — Está feliz, não sofre mais; lá se foi o pernicioso azar.

7 — Segundo se sabe, pensa em trocar de partido.

8 — Claro, é isso o que mais deseja; voltará logo que seu amor quiser.

9 — Derrama lágrimas por novo amor; com razão, pois sofreu desilusão.

10 — Conhecendo bem a verdade, foi grande a mentira da oposição.

11 — Arrepende-se ao sentir que precisou mentir.

12 — Muitas fofocas existem, e nelas somente os tolos acreditam.

— 138 —

1 — Até mesmo tudo explicando, em ferro frio está malhando.

2 — Respeita muito os seu filhos, e não quer sair fora dos trilhos.

3 — Fará sacrifícios de valor, quando sentir mais amor.

4 — Antes terá de sentir que você deseja se unir.

5 — Vai se comunicar, então, para explicar a situação.

6 — Com fé, esperança e calma, boas notícias para a alma.

7 — Está triste por ter azares em assuntos particulares.

8 — Sem fundamento, como antes, não há nada nesses instantes.

9 — Se você não quiser não vai voltar; basta na cama de amor lhe esgotar.

10 — Quase quis e não lhe agradou. O que tem isso demais? Nada.

11 — Não tenha grande preocupação; tudo não passou de breve empolgação.

12 — Arrepende-se com muita calmaria; ainda assim gostaria de mais amor.

— 139 —

1 — O coração não foi ofendido, e com a moral nada aconteceu.

2 — Se as palavras têm toda emoção e certa doçura, certamente agradarão.

3 — Por mais que a ame com esmero, sabe que a família vem primeiro.

4 — Não lhe oferecerá mais sacrifício, pois a relação não traz benefício.

5 — Para tomar essa decisão, somente com muita empolgação.

6 — Falará pela necessidade de lhe contar algumas verdades.

7 — Notícias agradáveis vão chegar, quando menos você esperar.

8 — Tudo está tão nublado e nada é do seu agrado.

9 — A mentira não pega mais quando nega outro amor.

10 — Está cansado desse marasmo, busca quem lhe satisfaça.

11 — Com você está bem de amor, não precisa de mais ninguém.

12 — Os boatos são os mais diversos; uns são bons, outros perversos.

— 140 —

1 — Ter desejos não gostaria, porque assim não sofreria.
2 — Só por você tem sofrido, por ter sido ofendido.
3 — Terá de fazer muita força para que a razão não se torça.
4 — No momento confia em você; com mais ninguém se associa.
5 — Para tomar essa resolução, só com muita predisposição.
6 — Já não há mais sensação nesses encontros proibidos.
7 — Telefonará para pedir sua volta, e então decidirá.
8 — Notícias boas vão surgir; delas não necessita fugir.
9 — É de se lastimar a condição por que passa nessa ocasião.
10 — Como esse amor não é assumido, ficar com outro não é proibido.
11 — Pela falta de carinho e de amor, agora fugirá rápido do seu lado.
12 — Se é fiel ou não, você será o último a saber.

— 141 —

1 — Não pode se decidir urgentemente; antes, deve ser mais prudente.

2 — Tão forte é o seu desejo que agora começa a perder o medo.

3 — Ficou um tanto ressentido, porém o fato será esquecido.

4 — Ainda que não se abra totalmente, suas palavras lhe convencerão.

5 — Ainda prefere o antigo caso, seu único e primeiro cuidado.

6 — Por certo não gostaria de dar essa prova um dia.

7 — Agora irá sem muita vontade, mas depois se acostumará.

8 — O encontro sugere explicações para que ambos tomem decisões.

9 — A notícia poderá ser grata, pois só de coisas boas trata.

10 — Está mal pelo amor, que só lhe causa dor.

11 — Essa nova paixão está bem adiantada, mas logo será descartada.

12 — Por você tem grande tesão; até agora não há outra paixão.

— 142 —

1 — Sempre recebeu muita liberdade, e agora paga com infidelidade.

2 — Constituem duas metades, porém sem nenhuma unidade.

3 — Sem poder agüentar, precisa logo transar.

4 — O que você fala, sem refletir, motiva as ofensas que sente.

5 — Suas palavras serão convincentes, com ternura em ritmo crescente.

6 — Pelo prazer que tem com alguém, sair com outros amigos não convém.

7 — Para fazer sacrifício sem demora, deverá amar-lhe mais que agora.

8 — Apesar de não trazer benefício, comparecerá, fazendo sacrifício.

9 — Entrará em contato urgentemente, pois essa zombaria não lhe traz paz.

10 — Com tantas notícias ruins, uma abençoada vai receber.

11 — Encontro de acertos espera, e esse fato lhe desespera.

12 — Agora bobear não convém; a quem espera, outra pessoa já tem.

— 143 —

1 — Da cabeça aos pés sente mais orgulho, e ninguém desmente.

2 — Não ligue, porque esse amor agora está para lá de perdido.

3 — Recusa porque vê claro que o ouro, raro, lhe falta.

4 — Se agora você quiser se envolver, seus desejos não poderá conter.

5 — As suas ofensas não merece, e quando lhe vê tudo esquece.

6 — Ouça suas palavras com atenção; o bom ouvinte entende a explicação.

7 — Prefere seus familiares, é evidente; desiludida, ficou mais prudente.

8 — Busca somente benefícios, sem ter de fazer sacrifícios.

9 — Mais difícil, mais gostoso, o encontro será proveitoso.

10 — Comunicar-se não quer; perdeu a fé, e não deseja dar satisfações.

11 — Se não vierem a todo vapor, as notícias perderão seu valor.

12 — Está tentando ser muito feliz, mas quando será? Ninguém prediz.

— 144 —

1 — Cansou de suas discussões, com complicações sem fim.

2 — Para orgulho não há motivo; nada de amor traz consigo.

3 — Infidelidade pode esperar; provoca todos ao passar.

4 — Já aconteceu o ajuntamento, bem melhor que o casamento.

5 — Deseja com você fazer amor, embora mantendo certo pudor.

6 — Sua palavra não lhe causa ofensa, agora que sua paixão é imensa.

7 — Poderia, sim, ter acreditado em você, se tivesse argumentado melhor.

8 — Em vão procura satisfação, pois o outro lhe dá mais desejo.

9 — Entenda que o sacrifício é fugaz — dura até que o prazer se desfaça.

10 — Esse encontro lhe pesa, pois teme um confronto.

11 — Vai se comunicar urgentemente, para contestar quem mente.

12 — Calma, muito tempo não passará, e logo saberá onde seu amor está.

— 145 —

1 — Irá reconquistar-lhe, possivelmente, mesmo que seja difícil.

2 — Aprecia muito sua paixão, mas não quer ser vítima de sedução.

3 — Para todos fala tão bem de você, que confirma o orgulho que tem.

4 — Não creia em sua infidelidade; na sua conduta não há maldade.

5 — Como na cama você lhe agrada, possível casamento lhe aguarda.

6 — Com muito amor lhe deseja, se conservar seu bom humor.

7 — Sinta que, por ofensa banal, ainda não lhe quer mal.

8 — Após aquela malhação, amoleceu seu coração.

9 — Você é sua preferida paixão, já que lhe seduziu o coração.

10 — Ainda que lhe deseje com calor, não se sacrifique por esse amor.

11 — Irá ao encontro com vontade, e na cama sentirá sua paixão.

12 — Entrará em contato para marcar um novo encontro e, assim, lhe amar.

— 146 —

1 — Se são verdadeiras as vozes que ouvimos, seu coração gozará de ótima reputação.

2 — Espera você sem inquietações, e confia em suas virtudes.

3 — Agrada-lhe muito seu carinho; tenta, da mesma forma, lhe dar prazer.

4 — Tem orgulho de seu amor, que tudo faz com fervor.

5 — Pode acreditar em quem lhe ama, pois com outro não vai para a cama.

6 — Não quer casar, isso é claro e evidente, pois não quer nenhum dependente.

7 — Por você não tem desejos; não lhe é correspondente.

8 — Não precisa se preocupar, não chegou a se incomodar.

9 — Você convenceu seu coração, falando com tanta convicção.

10 — Além de preferir o filho, não quer causar conflitos.

11 — Sacrifício com brilho, só de pai para filho.

12 — No próximo encontro você verá que muitas coisas vai aprender.

— 147 —

1 — Gosta de dar conta do trabalho; inteligente, procura detalhes.

2 — Existem momentos de bondade no coração; em outras ocasiões, há maldade involuntária.

3 — Marque hora, lugar e seu amor não vai faltar.

4 — Tudo em você lhe agrada, menos vê-la tão enjoada.

5 — Demonstra crescente alegria, e de você se orgulha dia após dia.

6 — Busca mais beleza encontrar; irá de cama trocar.

7 — Ainda não se casou, na verdade, para não perder a liberdade.

8 — Tem desejos de sexo ardente, e fantasias com você presente.

9 — Você abalou seu prestígio; agora poderá sofrer sozinho.

10 — Sua última conversa causou ótima impressão.

11 — Pensa como São Mateus: em primeiro lugar, os seus.

12 — Faria e com muito gosto esse ato, se acreditasse em seu amor de fato.

— 148 —

1 — Ter de fazer necessária economia de nenhum modo lhe traz alegria.

2 — Vendo que há necessidade de urgência, afasta logo qualquer ociosidade presente.

3 — Seu proceder é honesto e singelo; se sofrer traição, deixará de amar.

4 — No momento é conveniente que você não seja insistente.

5 — Apesar do que você lhe faz, não creia que lhe satisfaz.

6 — Colocando tudo na balança, orgulho por você pesa mais.

7 — Desde já sinta-se enganado; por você o desejo está acabado.

8 — Pelo casamento não deseja unir-se, pois de outros amores quer usufruir.

9 — Tem desejos e os oculta; com você, nada resulta.

10 — Infelizmente você lhe ofendeu, e tudo de mal já aconteceu.

11 — Você acredita numa coisa incerta, pois a verdade não foi descoberta.

12 — Se ainda estivesse em sua companhia, nenhuma outra amizade procuraria.

— 149 —

1 — O jogo, maldita paixão, no fim será sua perdição.

2 — Não gosta de fazer economia, nem um pouquinho a cada dia.

3 — Não é de seu feitio a indolência; nunca será culpado pelos problemas.

4 — Mostra sua virtude bem delicada; pelo seu coração deve ser amada.

5 — Se no erro você persiste, tal chance não mais existe.

6 — Tanto lhe agrada seu procedimento, que vai lhe ver com consentimento.

7 — Fala de seu amor com vaidade; seu jeitinho lhe traz felicidade.

8 — Para sair dos seus enganos, não confie muito em planos.

9 — Quer viver junto e amar, tudo isso sem se casar.

10 — Desejos e fantasias tem na mente, nada relacionado a você, que não entende.

11 — Por mais que haja intrigas, até aqui não haverá brigas.

12 — Você fala demais na sua cabeça; atordoada, não acredita jamais.

— 150 —

1 — Faça hábil diligência e perceba que existe algo de traição, com inteligência.

2 — Aprecia o jogo mas não se vicia; passar um tempo alegre lhe delicia.

3 — Não gasta muito e não é mão aberta; faz economia e está sempre alerta.

4 — Dia e noite trabalha com gosto, e nunca se cansa de sua batalha.

5 — Não creia nessa bondade que traz hipocrisia: antes de tudo marca a inversão de valores.

6 — Não o verá tão cedo; voltar agora lhe dá medo.

7 — Tudo lhe é bastante indiferente, pois é fato que não gosta do seu proceder.

8 — Orgulha-se por perceber que tudo de bom vai receber.

9 — Bem que poderia enganar-lhe, porém, seu coração não quer isso.

10 — A sós a vida não quer enfrentar; sentindo mais amor vai se juntar.

11 — Tem desejos de ver você se afastar para que, tranqüilo, possa respirar.

12 — Quem suas ofensas desconhece, fica muito claro, não padece.

— 151 —

1 — Nosso caso não estava tão adiantado, e a notícia já corria por toda a cidade.

2 — Foi se distrair no momento com outro entretenimento.

3 — Tem muita sorte nos jogos de dados; eles não lhe trazem maus resultados.

4 — Tem cobiça por dinheiro; sua avareza vem primeiro.

5 — Espírito alegre e divertido, a bem do trabalho, não será despedido.

6 — Essa virtude continua garantida, enquanto a bondade for mantida.

7 — Se lhe busca com vingança, na volta você sofrerá.

8 — Gosta tanto de seu proceder que tudo repetirá, sem sofrer.

9 — Por ser bastante experiente, hoje de seu orgulho não é manifestante.

10 — Bom caráter e com sinceridade, guarda amor e muita fidelidade.

11 — Não quer duradoura situação; outros amores ainda conhecerá.

12 — Com grandes desejos arde; quer amor, e que não tarde.

— 152 —

1 — Minha família não acredita ser vantajoso entregar a alegria da casa ao novo parceiro.

2 — Todos os que se incomodam mais com a vida alheia do que com sua própria vida são invejosos e carentes.

3 — Para novo lugar irá e não lhe convidou, é porque busca um outro amor sob medida.

4 — Viciado perde, mas ama o perigo; sempre no jogo encontra abrigo.

5 — Muito ganha e muito mais gasta; dessa maneira nada lhe basta.

6 — Nunca pára de trabalhar e pouco repousa; porém, a sorte não chega ao seu destino.

7 — No coração tem uma arma singular: a arte de se fazer amar, com prazer.

8 — Por enquanto não vai sair do desespero, por ter perdido sua causa por inteiro.

9 — Do seu proceder não gosta; sofre e não se mostra feliz.

10 — Não se orgulha certamente; por você não sente firmeza.

11 — Não duvide e não seja cruel — seu amor jamais será infiel.

12 — Não se casa, pois quer variação; ainda não crê em estável união.

— 153 —

1 — Tem angústias quando vê que não existe solução para os problemas de saúde e também educação.

2 — Será aceito se for de família digna, bom partido e cumpridor de deveres.

3 — Mesmo que tente ocultar sua paixão, nem a todos você poderá enganar.

4 — Saiu para incomodar-lhe; vai com alguém transar.

5 — Não pode ficar somente sapeando; gosta do jogo e vai logo entrando.

6 — Em sua cabeça não existe idéias de economia; só de pensar em beneficiar alguém, morreria.

7 — Depois de muito trabalhar, pretende gozar a vida, comer, beber, dormir e nada de se cansar.

8 — Seu coração é bondoso com justiça; sua especial virtude é valorizar a união.

9 — Por você vai falar pessoa amiga, e pela sua volta vai interceder.

10 — Seu modo de proceder lhe causa imenso prazer.

11 — Tem orgulho com precaução, para não causar sensação.

12 — Não tenha medo de traição, pois no seu coração não existe intenção.

— 154 —

1 — É tocar com carinho e malícia as partes mais íntimas de seu corpo.

2 — Tem angústia quando vê as inocentes crianças abandonadas neste país que ainda não é sério.

3 — A família estaria bem contente se conhecesse suas intenções.

4 — Muitos têm somente suspeitas; outros vêem tudo claramente.

5 — Foi buscar em outro prazer que você não soube lhe trazer.

6 — Para o jogo tem muita propensão e, para começar, basta ter ocasião.

7 — Se tem com muita abundância não é aconselhável a ganância.

8 — Sempre está com muita tapeação; papéis na mão, nenhuma produção.

9 — Seu coração bateu em retirada, para fugir de alegre e perigosa noitada.

10 — Saia com seu amor em passeio, e use seu talento sem receio.

11 — Se você continuar a proceder bem, não tenha medo de perder.

12 — Não se orgulha de nenhuma maneira; você não pode ajudar em sua carreira.

— 155 —

1 — Sua filha por sorte vai se casar, com um conhecido e bondoso rapaz.

2 — Tem vontade de beijar seus pés nus, suas pernas, e ir subindo pouco a pouco.

3 — Dá angústia ver nossas patrícias se prostituindo para sustentar a família.

4 — A família tem interesse em que o tempo passe, para que todos a conheçam melhor e a acatem.

5 — Somente a pessoa interessada tem a paixão bem guardada.

6 — Siga seus passos pela madrugada e veja quanto a boemia lhe agrada.

7 — Por enquanto não vai começar a jogar, pois melhor está com você a amar.

8 — Se não sabe economizar, terá de aprender, ou poderão lhe faltar condições de sobrevivência.

9 — Busca com muita força de vontade bom trabalho que lhe traga prosperidade.

10 — Tem astúcia e manha; seu coração repele agora qualquer investida.

11 — Sua volta é impossível para agora, porém vai acontecer em outra hora.

12 — Seu procedimento não lhe convém; assim, logo amará outro alguém.

— 156 —

1 — Seu lazer predileto é checar o saldo bancário e verificar se as aplicações estão positivas.

2 — Terá sorte em seu casamento, embora vá tardar esse dia.

3 — Enquanto o corpo inteiro não decide, a nuca mais do que depressa consente.

4 — Ficamos angustiados ao saber que o turismo em nosso país é anunciado como paraíso sexual.

5 — A família se opõe às suas intenções e, se você insistir, sofrerá decepções.

6 — Se não se conservar bem discreto, logo tudo ficará descoberto.

7 — Está num lugar muito retirado, e pela pior espécie de gente freqüentado.

8 — Tudo sacrifica para no jogo continuar, e até seu amor perderá, pode apostar.

9 — O seu desperdício constante não permite economizar e ajudar alguém um dia.

10 — Chega tarde e sai mais cedo; o trabalho lhe causa medo.

11 — É fato: tem muito jogo de cintura e, com o coração, atrai boas companhias.

12 — Não parta para a ignorância — sua perda é sem importância.

— 157 —

1 — Com sua idade que avança, não consegue entender a liberdade excessiva dos jovens.

2 — Seu hábito é ler tudo aquilo que vê, procurando seus assuntos prediletos.

3 — Muito amada é, na verdade, e mais carinho sempre é bom.

4 — Seu fetiche é, basicamente mulher de salto alto, luvas e nada mais.

5 — A angústia que prende os tímidos em casa, viciados na internet, desespera os parentes.

6 — Seu pessoal o aceitará se for leal, e se de fato somente amor lhe deseja.

7 — Sua paixão é tão conhecida, mais do que você imagina.

8 — O destino dirá que não é importante; tudo aquilo você já conhecia antes.

9 — O jogo lhe atrai, mas parece que nenhuma sorte merece.

10 — A miséria fez ninho em seu peito, e seu bolso está guardado, pelo escorpião.

11 — Sabe muito bem falar e mais nada; o trabalho que é bom vira piada.

12 — A bondade em seu coração é legal e lhe permite dominar nova situação.

— 158 —

1 — Dizem que os credos não devem ser discutidos; cada um deve professar a fé que tem no coração.

2 — A jovem mãe, atualizada, tem orgulho de participar da vida de seus filhos.

3 — Seu prazer é ouvir música clássica toda tarde, para relaxar, com alguém bonito ao seu lado.

4 — É amada por um cara muito bacana; encantou-se e com ele escapou.

5 — Corpete, *lingerie* branca de seda, só isso lhe faz subir pelas paredes.

6 — A maior angústia da vida é perder o grande amor e depois não poder voltar devido às conseqüências.

7 — Explicando tudo com naturalidade, o parceiro será aceito na intimidade.

8 — Os dois juntos não podem aparecer; quando um vai, o outro tem de ficar.

9 — Foi para onde o dever lhe chama, bem triste por deixar sua cama.

10 — Com muito gosto vai jogar, sempre à noite, e também de dia, se puder.

11 — Somente gasta o pouco que lhe basta; o resto economiza para o túmulo.

12 — Custa aparecer uma rendosa ocupação; quando chega a hora, falta-lhe disposição.

— 159 —

1 — O último com quem tem saído lhe quer mais nesse momento.

2 — Católicos, protestantes, evangélicos e espíritas, todos crêem no Deus único, de amor e bondade.

3 — Do jeito que o mundo vai, é preciso agora que o administrador domine a tecnologia.

4 — Trabalhar no jardim lhe traz paz e prazer; fala com suas plantas e quem cuida delas.

5 — Sua filha é amada com ternura, por sua bondade e formosura.

6 — Seu fetiche mais apaixonante é vê-la com os seios descobertos.

7 — Mais angústias não existem do que ver bons filhos inclinados ao uso das drogas.

8 — Se lhe dão o consentimento legal, é porque de você têm informações.

9 — Se alguém conhecer o amor guardado, cada dia mais e mais outros saberão.

10 — Foi gozar a vida com mil amores, sem se importar com suas dores.

11 — Pelo jogo e pela loteria, creia, seu amor tem pouca simpatia.

12 — Põe ordem na casa com economia; nas férias pode gastar com sabedoria.

— 160 —

1 — Quando janta com você e fala da secretária, é certo que somente quer se auto-afirmar.

2 — Por mais que isso lhe desgoste, sinta que o novo amor não lhe quer.

3 — Todas as religiões pregam o bem e denunciam o mal; somente seus caminhos é que têm rotas diferentes.

4 — Rever seus conceitos é necessário hoje em dia; para trabalhar bem é preciso visitar mais a clientela.

5 — Viver a doce vida, aperitivos à tarde, encontrar alguém e jantar tarde.

6 — A menina, alertada a tempo, se saiu bem dessa enrascada.

7 — Gostaria muito de lhe ver nua na praia para fazer comparações com outras belas.

8 — Ficamos angustiados ao receber informes médicos sobre difícil doença na família.

9 — Existem diversas opiniões na família, e cada uma delas com justas razões.

10 — É perigoso ter sua nova amada conhecida; está apaixonado e ainda não guarda segredo.

11 — Partiu em verdadeiro retiro, em busca de calma e prazer.

12 — De loteria, bingo e baralho não quer saber; com carinho, jogos de amor prefere fazer.

— 161 —

1 — Vai dar preferência ao distinto que não pegar tanto no seu pé.

2 — Tenta confundir sua cabeça de verdade quando finge esquecer data importante.

3 — Escolha rápido, em nome de seu destino, a melhor opção, para não cair na solidão.

4 — Os festins da Babilônia seriam bem-vindos, se não tivéssemos os corretos freios da religião.

5 — Conceito ainda certo "o amor nunca falha", naturalmente quando os dois muito se amam.

6 — Passear e fazer compras lhe faz relaxar.

7 — Apesar de ter um namorado apaixonado, descobriu que vai dar trabalho.

8 — Sua melhor representação de fantasia é quando se veste de sadomasoquista.

9 — É angustiante saber que sua inocente e última paixão está freqüentando famoso Disco.

10 — É verdade que lhe aceitam, porém não vá muito fundo.

11 — Estão os outros tão bem amados que não se preocupam com você.

12 — Foi cumprir sua obrigação, e como sempre tem razão.

— 162 —

1 — Recordar é viver... Sonhei com você, que estava maravilhosa e feliz.

2 — Dá preferência ao amante, mais decidido e constante.

3 — Ele insiste nas noitadas com os amigos, mas se arrepende, pois é muito para a sua cabeça.

4 — Parece que os dois lhe querem; porém preste atenção: nenhum lhe merece.

5 — Devemos ter a religião como tábua de salvação, não só nos momentos difíceis, como também nas alegrias.

6 — O conceito de casamento mais sugerido hoje é o de que você não pode amar somente a si próprio.

7 — Produzir-se e ficar bonita... ser vista é verdadeira terapia.

8 — Bem que minha filha gostaria de se casar; tem seu amado, mas segue sua carreira.

9 — Seu fetiche é ver homem de *jeans*, bem justo, surrado e desbotado, passeando.

10 — É angustiante querer sair com quem lhe quer e não poder, pois o titular está sempre atento.

11 — Sabendo depressa que a escolha foi certa, a família não tem razão para se opor.

12 — Existe quem já lhe conheceu e se faz de desentendido.

— 163 —

1 — Quando a gasolina sobe 10% num só dia, causa revolta o anúncio de inflação zero.

2 — As melhores lembranças da vida são aquelas que passamos com nossos entes queridos.

3 — Você deve sempre preferir a quem te faz mais feliz.

4 — É ruim para sua cabeça ele gostar de você mas nunca deixar de sair com os outros.

5 — Aquele que você vê, que sofre e cala, só pode ser o amor que mais lhe quer.

6 — Conduzindo bem nossos filhos ao rumo da religião, teremos menos cuidados, devido à sua boa formação.

7 — Rever seus conceitos é fundamental; a mulher cansou de ser o sexo frágil.

8 — Sua prática predileta é trabalhar e, pela manhã, parece que produz mais.

9 — Jovem e tímida ainda, já é amada e não sabe.

10 — Gosta de ver um jovem que acabou de malhar, com camiseta branca grudada no peito.

11 — O negócio que antes era tão bom e florescente agora é motivo de angústia, porque não avança.

12 — Para não causar inquietação, a família no início nada exigirá.

— 164 —

1 — O homem com muito medo do perigo tem de reagir ou não poderá dormir.

2 — Há revolta quando se recebe 0,70% da CEF e se paga acima de 7% de juros ao mês.

3 — Recordar é muito bom, porém não podemos somente viver de ilusões perdidas e passadas.

4 — Prefere a você que mais ama, e que apaga outras chamas.

5 — Diz que está sempre de viagem, mente e afeta sua cabeça com tanta falsidade.

6 — Ambos lhe oferecem seu bom amor; essa dúvida, só você pode resolver.

7 — Dizem que Deus escreve certo por linhas tortas, e a religião nos faz entender o real desígnio do Mestre.

8 — Bom conceito de vida é não desejar chuva durante as esperadas férias dos vizinhos.

9 — O seu lazer marcante é paquerar uma e outra beldade após o trabalho.

10 — O mais certo é que vai ser amada por antigo colega de faculdade.

11 — Gosta de visitar bairros estranhos, procurando fantasias de amor.

12 — É muito angustiante estar com a situação financeira ruim, de tal forma que você nada recebe e também nada paga.

— 165 —

1 — O relacionamento em casa é ótimo, tudo vai bem, muito trabalho, estudos e paz.

2 — Podemos enfrentar os pequenos perigos se estivermos na companhia dos amigos.

3 — Nossa revolta consiste na luta para que se faça hoje o que sempre fica para amanhã.

4 — Como diz a canção, "éramos felizes e não sabíamos"; hoje sabemos quase tudo, e se foram os bons tempos.

5 — A preferência, é claro, vai ser por quem lhe dá mais atenção.

6 — Você fica com a cabeça quente, e sente que faz perguntas para receber elogios.

7 — Se não encontra resposta para sua dúvida, então peça ao destino mais sorte e ajuda.

8 — O homem consciente tem livre-arbítrio para escolher a igreja de sua predileção.

9 — O novo conceito é não perder tempo se queixando sobre os erros passados.

10 — O estafado tem necessidade urgente de sair de casa, do trabalho e descansar.

11 — Será amada com carinho e grande paixão, por quem soube escolher.

12 — Gosta de ver filmes eróticos; em bela companhia, prepara a noitada.

— 166 —

1 — Com sua ajuda reconhecida, os seus companheiros agradecem contentes.

2 — Fora de casa, o relacionamento com os sócios familiares sofre atritos diários.

3 — O perigo da morte é o mais temido; se você tem medo, não saia de casa.

4 — Temos revolta pela oposição sistemática da ignorância, que resiste às leis do sucesso.

5 — As recordações da nossa vida passam céleres, quando são boas, e perduram, quando são más.

6 — Prefere aquele que, por seu tesouro, pode lhe dar mais segurança e prazer.

7 — Agora tenta bagunçar sua cabeça; está com raiva e diz que é por nada.

8 — Quem lhe quer é justamente aquele a quem você deu momentos amargos.

9 — Toda pessoa deve ter o espírito aberto e respeitar a escolha religiosa de seu vizinho.

10 — É bom rever conceitos de comércio exterior, identificando-se com a atual globalização.

11 — Gosta das reuniões ao ar livre com amigos, beber, comer, sem ter nada para resolver.

12 — Tem bastante beleza para ser amada, mas não flerta com o primeiro que vê.

— 167 —

1 — Após o divórcio, é preciso ter boas relações; crianças bem amadas sofrerão muito menos.

2 — Há gente no trabalho com reputação de destruir relações; tenha cuidado.

3 — A felicidade é visível com as boas relações, que dão prazer na convivência do seu lar.

4 — Hoje o perigo corre muito solto; devido à baixa qualidade de vida, o crime aumenta.

5 — Revoltam-nos as reuniões societárias nas quais discussões tolas substituem as necessárias.

6 — Recordar bons momentos é ser feliz duas vezes; lembrar de coisas ruins, é sofrer em dose dupla.

7 — Aquele que a sorte apontar será seu amante mais forte.

8 — Quando estou bonita e bem produzida, mexe com minha cabeça, dizendo que engordei.

9 — Quem lhe quer é o mais antigo, único amor que não lhe esquece.

10 — Quando a desilusão bate em sua porta, é bom se abrigar num templo religioso e rezar.

11 — O conceito de globalização é que o país rico lucre e o terceiro mundo produza mais barato.

12 — Sempre que é possível, gosta de ir a um badalado lugar para dançar.

— 168 —

1 — Não acredite na máquina política do governo, que causa miséria e sofrimento ao povo.

2 — A separação traz ódio e rancor; os pais sensatos não farão cenas diante dos filhos.

3 — O bom relacionamento é muito mais que importante no trabalho; todos lutam igualmente.

4 — As boas relações amorosas do casal, hoje, são importantes para afugentar as crises.

5 — O perigo de ser deixado para trás sempre alimenta o ciúme e a desconfiança atroz.

6 — Existe revolta em relação ao desamor disfarçado de quem só deseja terminar.

7 — Se recordarmos nossos filhos na idade engraçada, teremos vontade de ter outros, mas agora é tarde.

8 — Bem preferirá aquele que, com cuidado, suas palavras tem sempre apreciado.

9 — Quando marcamos um programa com os amigos, minha cabeça ferve ao saber que tudo mudou.

10 — Escolhe quem age com prudência, pois tem medo da fama de quem é infiel.

11 — Felizes dos filhos que tiveram a atenção dos pais voltada para seu ensinamento cristão.

12 — Nos negócios, o maior conceito que prevalece é cumprir com a verdade e manter a credibilidade.

— 169 —

1 — A volta seria ótima se a gente reencontrasse todos os de casa, os amigos, os amores e a prosperidade.

2 — Não creia nos regimes políticos especializados em usufruir do poder, enganando o povo.

3 — O importante no divórcio é a justiça; o bom acerto deve ser amigável.

4 — Quem não se relaciona bem no trabalho, nem no amor, nem em casa, vai sofrer.

5 — Onde há bom relacionamento surge o querer; aos poucos você começa a amar.

6 — O perigo, sabemos, está em todas as partes, e não dormimos, esperando a chegada dos filhos.

7 — Ficamos revoltados com o término da nossa paixão, que poderia ter sido legal, mas acabou.

8 — Bebês dos outros nos trazem boas recordações, mas só de pensar no choro...

9 — Vai preferir a pessoa mais agradável e deixar de lado a menos tolerante.

10 — Bagunça minha cabeça quando estamos prontos para viajar; inventa reuniões de negócios que não são verdade.

11 — Quem lhe quer vai oferecer as suas provas de paixão.

12 — O casal unido com os filhos pela religião manterá a paz e a tranqüilidade no lar.

— 170 —

1 — Seus dias serão longos e felizes, segundo disse o sábio São João.

2 — Com a reencarnação amantes podem não coltar juntos, a distância descontinuará inesquecíveis uniões.

3 — Não creia no político que se elege com 53% dos votos; os outros 47% viverão decepcionados.

4 — As causas prolongadas sem acordos aumentam a crise familiar, e isso muito entristece os filhos.

5 — Se você não tiver bom relacionamento no trabalho, com o tempo será excluído.

6 — A convivência traz a simpatia, depois o amor, a paixão e boas relações sexuais.

7 — A reação ao perigo depende do temperamento de cada um; a receita é ter calma e concordar.

8 — Consterna presenciar a irritabilidade do medíocre indeciso, que nada resolverá.

9 — Guardamos sempre boas recordações do casamento: no início fervendo, depois morno e gelado no final.

10 — Deve preferir o amante presente, e fechar a porta para o ausente.

11 — Mesmo sem sair de casa, mente para mim, bagunça minha cabeça, diz estar com amigos.

12 — Aquele que pretendia lhe esquecer agora está ansioso para sair com você.

— 171 —

1 — Seu objetivo é encontrar alguém que lhe ame de verdade, para deixar de ser tão solitário.

2 — Muito longa será sua idade, se o destino diz a verdade.

3 — Pais e filhos reencarnarão felizes, separadas as crianças se sentiram perdidas no limbo monitorizado.

4 — Os regimes políticos no poder fazem acordos vantajosos, para obter o apoio dos adversários.

5 — Evite fazer críticas negativas sobre o ausente; as crianças, que são vivas, podem dar o troco.

6 — Os que trabalham juntos precisam sustentar a família, educar os filhos e se relacionar bem.

7 — Você começa a gostar das pessoas pelo seu trabalho útil e inteligente.

8 — Nada é tão terrível como o medo do perigo, mas a reação é imprevisível quando se trata da família.

9 — Grande revolta é causada pelo poder que, sem decidir, deixa o tempo passar.

10 — Guardamos lembranças especiais das reuniões de família, nas quais víamos nossos pais e avós alegres.

11 — Prefira o que tem mais sorte e fuja daquele que é azarado.

12 — Minha cabeça não agüenta mais quando se esconde, não atende telefone e dele ninguém tem notícias.

— 172 —

1 — Os segredos são impossíveis de serem guardados muito tempo; a inveja mata.

2 — Seu objetivo na vida é melhorar no trabalho, se esforçar muito, fazer horas extras e abrir seu próprio negócio.

3 — Com excessos sem medidas, não será longa sua vida.

4 — Depois de ficar 2 milhões, 100 mil anos, 25 meses, 24 dias, 12 horas e 39 minutos no purgatório, a volta.

5 — O vergonhoso aumento do salário mínimo é uma farsa que ainda conquista votos.

6 — Na relação entre divorciados, o novo parceiro deve aceitar os filhos também.

7 — Na mesma intensidade você vai ter a estima do parceiro que lhe aprecia.

8 — O bom relacionamento que reinava entre o casal, com brigas, terminará.

9 — Temos pavor do perigo que ronda as crianças; porém, existem bons anjos que as protegem.

10 — Doce carinho, amor, prosperidade e boa vida, pagos com infidelidade, trazem revolta.

11 — Guardamos boas recordações dos filhos pequenos, que nos acompanhavam nas férias, sem reclamar.

12 — A preferência é pela sua beleza, com quem partilha cama e mesa.

— 173 —

1 — Deve confiar desconfiando, sempre; quem muito promete pensa em lhe prejudicar.

2 — A mídia hoje descobre os segredos do Estado e, no mesmo dia, a nação sabe da corrupção.

3 — Dá tudo de si no trabalho que conhece tão bem, esperando uma promoção de chefia.

4 — Para desfrutar sua existência, aja sempre com precaução.

5 — A dúvida é saber se uns voltam e outros ficam, separados os amores e as famílias sofrerão.

6 — A falsificação da democracia, camuflada ditadura, quer escravizar o povo e controlar a Constituição.

7 — No divórcio é necessário continuar a boa relação com o ex-marido, sem esquecer que ele é o pai dos filhos por ventura havidos.

8 — Respeite o seu colega de trabalho como a si próprio; relacione-se bem.

9 — Gostar de alguém é muito bom; ter retorno é melhor ainda.

10 — O grande perigo da nossa existência é chegarmos à velhice sem assistência.

11 — Causa muita revolta conhecer os dramas das crianças abandonadas, sem teto e sem chances.

12 — Guardamos recordações dos negócios florescentes, com exportações altas e moeda estável.

— 174 —

1 — Dúvidas existem sobre esse tema complexo, todos discutem isso, e ninguém se convence.

2 — Pai e mãe são confiáveis; quanto aos outros, fique alerta e não dê muitas chances.

3 — Hoje em dia os segredos não são guardados; o pecado é descoberto e planos são espionados.

4 — Seu objetivo na vida é dar continuidade à sua família, honrando seus dignos antepassados.

5 — Se não andar na linha, você não conseguirá sobreviver em paz.

6 — Se alguém reencarnasse relembrando tudo o que deu errado antes, teria então mais chances de acertos.

7 — Não acredite no Congresso e nas câmaras; defendem mais seu caixa do que a massa.

8 — O bom contato com o pai e com a mãe é aconselhável para os filhos.

9 — No trabalho, seja amável e paciente; entenda as dificuldades dos amigos.

10 — Cultive boas relações com todos os seus funcionários e seja um líder estimado.

11 — Se os negócios forem mal, temos medo de perder tudo o que foi feito na vida.

12 — Causa revolta descobrir desvios de verbas destinadas ao social.

— 175 —

1 — No jogo somente a casa ganha; desista disso e trabalhe muito.

2 — Se houver vida do outro lado, continuará o castigo ou seremos muito poupados.

3 — Quem lhe ama de verdade é digno de confiança, pois sofre junto com você.

4 — Mulher não guarda segredos, e homem também; as fofocas crescem com os boatos.

5 — Seu objetivo é casar direitinho, ter dois filhos e viver feliz com seu amor.

6 — O seu destino concede-lhe um prazo de vida que não é nada desmerecedor.

7 — Voltar para nova vida, sem nos lembrar da anterior, é sofrer de novo, sem poder usar o que foi aprendido.

8 — Não se pode acreditar no regime político que usa a máquina do poder para eleger seus candidatos.

9 — Após o divórcio, os filhos devem sempre ter a liberdade para programar suas saídas com os pais.

10 — Para você se tornar líder do grupo, tem de ser capaz e criar harmonia.

11 — Quando precisar de algum favor, você irá conseguir devido ao seu bom relacionamento.

12 — Gosta de viver perigosamente, procurando novos amores; tudo o que é proibido é melhor.

— 176 —

1 — Se para você a situação está ótima, são irritantes suas queixas constantes.

2 — O jogo pode ser bom só como distração; refresca a cabeça e emociona.

3 — Ninguém voltou para explicar a respeito do ilimitado princípio das ações e das reações.

4 — Pode confiar nas pessoas que lhe estimam; sempre ao seu lado, dependem de você.

5 — Quem pecou, quem ama, quem quebrou, quem roubou — ninguém escapa com segredos.

6 — Seu maior objetivo é passar nos difíceis exames, entrar na faculdade, se formar e ajudar a família.

7 — Não fazendo extravagâncias, não bebendo muito, se alimentando bem, desfrute vida mais longa.

8 — Ou você volta para enfrentar novo carma ou fica no espaço, esperando a ressurreição.

9 — A máquina política concede aos membros do poder corrupto vantagens e imunidade.

10 — Divorciados, os pais devem sempre dar atenção e carinho aos filhos.

11 — Explique aos novos contratados tudo o que você sabe sobre o seu serviço.

12 — Nada melhor do que ter todas as portas abertas, devido a sua estima providencial.

— 177 —

1 — A sorte de um pode ser o azar do próximo; um substitui o outro, no decorrer da vida.

2 — A sua situação é mais que diferenciada; você não precisa de destino mais brando.

3 — Ganhar na loteria é uma questão de sorte, ou então de safadeza bem planejada.

4 — Depois de termos nossas almas separadas, habitaremos outras moradas e campos cultivados.

5 — Deve confiar no desinteressado; convive ao seu lado e nunca lhe ocasiona dissabor.

6 — Tudo o que é errado fica descoberto; não há segredo guardado, tudo é revelado.

7 — Conservar a saúde é seu desejo, para viver bem e ter energia para escapadas.

8 — Cuide bem da sua saúde, visite o médico, faça exames regularmente e durma em paz.

9 — O ruim da volta é você começar de novo, do zero, sem usar a experiência e corrigir.

10 — Acreditem que a multiplicação de partidos políticos com acordos aborta a democracia.

11 — Expresse sempre o amor e carinho que sente pelos filhos, seja presente.

12 — Seja admirado por todos os colegas, pelo seu relacionamento de bondade.

— 178 —

1 — A concorrência existe atenta, esperando seus cochilos e indecisões para atacar.

2 — Todos os dias nascem ricos e pobres, bonitos e feios, capazes ou não; ninguém explica.

3 — Trabalhando mais, não há dúvidas, melhorará com a ajuda da equipe.

4 — O jogo vicia; nele você perderá, além do dinheiro, seu tempo, a calma e a saúde.

5 — Devemos supor que todas as almas estarão juntas, com o Sol e a Lua por testemunhas.

6 — As armas de guerra são instrumentos do mal; não devemos confiar nos seus fornecedores.

7 — O único segredo que se mantém bem guardado é o do que acontece com o homem após a morte.

8 — É seu objetivo visitar outros países e usufruir da sua situação, que lhe permite gastar sem se preocupar.

9 — Você seguirá o caminho de seus pais, que tiveram longevidade, com saúde.

10 — Depois que você encontrar sua paixão, no canto esquerdo mais escuro do inferno, não queira voltar.

11 — O partido opositor ao que governa divulga todas as sujeiras do atual regime político.

12 — Mesmo que haja separação, pais e mães devem olhar e amar seus filhos sempre.

— 179 —

1 — Você manterá riqueza não descuidando dos negócios, inovando, sem desviar recursos.

2 — A concorrência é mais esperta do que você pensa; no momento exato, faz melhor e mais barato.

3 — As grandes e visíveis diferenças da sorte não se explicam com castigos e benefícios na Terra.

4 — Para melhorar sua existência, procure manter boas relações.

5 — Dizem que pseudoganhadores da loteria compram resultados para lavar dinheiro.

6 — Poderá haver vida depois da nossa, recolhida, nas profundezas dos mares, ou nas distâncias etéreas.

7 — Não podemos confiar na beleza que se revela charmosa e sensual só à noite.

8 — Se os segredos existem devem ser escondidos, assim pensamos, mas rápido vem a desilusão.

9 — Seu maior desejo, no momento, é sair do país em busca de trabalho tecnológico e preparar seu futuro.

10 — Você terá muitos anos pela frente; basta ter hora certa para trabalhar e descansar.

11 — Após a morte, inquéritos dos pecados da vida ingrata: pagar, voltar, pecar de novo e novo processo.

12 — Devemos nos afastar da politicagem suja, que nos causa irritação e envenena a nação.

— 180 —

1 — Você se irrita quando quer fazer o certo e nada funciona; dá tudo sempre errado.

2 — Sua mulher, que tanto lhe ajuda com suas ponderações, coopera para manter a riqueza.

3 — O seu concorrente desleal aproveita a sua falha de entregas e promete mais vantagens.

4 — As diferenças, indícios de sorte e azar, se pudéssemos escolher, acabariam com o pesar.

5 — Mudará logo a sua sorte, e com ela você será forte.

6 — Quem tem sorte no jogo tem azar no amor, e vice-versa, ninguém prova.

7 — Em alguns jardins suspensos do além haverá vida para as almas desiguais.

8 — Mulher bonita, bem produzida e falante, já quase se oferecendo, não merece confiança.

9 — Um conta para o outro, dois revelam para quatro, oito ficam sabendo, sessenta e quatro comentam.

10 — O objetivo dos bons pais é preparar os filhos para que no futuro saibam se virar sozinhos.

11 — Praticando esporte, exercitando corpo e mente, você garantirá uma velhice bem contente.

12 — Reencarnar e continuar pagando, ou ressurreição e ser julgado por pecados; vai e volta, fica e espera.

Conclusão

Este livro é um guia, um mostrador, uma ajuda para o comportamento das pessoas cujas dúvidas atormentam sua existência.

O destino de cada pessoa é específico, só seu, único e não tem nada dos outros; pode ser divino se você quiser. A vida de cada pessoa tem um significado ou propósito que compete a cada um explorar e descobrir.

O destino, a fortuna, o fado e a sorte são palavras iguais, evocadas em épocas e ocasiões diferentes.

Quando o homem nasce, traz consigo duas tendências regidas pelo seu livre-arbítrio volúvel: a do coração, direcionada pela aceitação e a inação; a do pensamento, em busca de desejos e prazeres.

Premidas pelas necessidades, alertadas pelas oportunidades e vantagens, as duas tendências têm seu ponto de equilíbrio como os dois pratos de uma balança; ficam mais leves ou pesadas de acordo com as nossas ações positivas ou negativas, motivadas pela eterna busca do poder e do amor.

Num prato da balança são colocados as alegrias, os desejos e os prazeres; no outro, as tristezas, as dores e as penas que causam o desequilíbrio temporário.

Nem sempre somos beneficiários merecedores, e somente recebemos o que pensamos e o que fazemos; isso constitui o nosso destino.

Não importa de qual signo você seja, Áries ou Touro, do elemento água ou ar, cada um deles tem uma parcela da verdade e da realidade; porém são incompletos, e tudo aquilo que você começa a fazer termina onde você quiser.

Somos educados para não sermos um todo; aumentamos o desequilíbrio com que nascemos, acentuando aquilo que fazemos mal.

Apaixonamo-nos por pessoas que talvez pudessem substituir aquilo que nos falta; como diziam os antigos, os opostos se atraem, mas esquecemos que os opostos também se repelem. Quando encontramos um oposto, temos vontade de invertê-lo, mudar a pessoa para que ela veja a vida como nós a vemos; o difícil é encontrar uma saída intermediária e equilibrada, de aceitação recíproca.

Mesmo que você não tenha alcançado o sucesso esperado pelos seus ideais, pelo menos sua vida foi enriquecida pelas suas tentativas válidas.

O "Oráculo", baseado na astrologia e na numerologia, nos mostra a impossibilidade de sermos plenamente felizes e incapazes de amar todo mundo e de vivermos para sempre.

Porém, nos oferece oportunidades de obter melhor compreensão da vida, de convivência e de conhecer melhor o comportamento das pessoas, suas diferentes realidades, seus desejos e sentimentos diversos.

Não devemos culpar o "Oráculo" e o destino pelo que nos acontece; suas razões indicam a necessidade do equilíbrio com os ideais do pensamento e do coração. O mundo é muito maior do que imaginamos, e se torna mais interessante com a verdadeira tolerância e a compaixão, que são os valores primordiais para alcançar o amor.

Roda Zodiacal

Oráculo XXI

Vadim

Franca — São Paulo

MADRAS® Editora — CADASTRO/MALA DIRETA

Envie este cadastro preenchido e passará receber informações dos nossos lançamentos, nas áreas que determinar.

Nome _____
Endereço Residencial _____
Bairro _____ Cidade _____
Estado _____ CEP _____ Fone _____
E-mail _____
Sexo ☐ Fem. ☐ Masc.   Nascimento _____
Profissão _____ Escolaridade (Nível/curso) _____

Você compra livros:
☐ livrarias ☐ feiras ☐ telefone ☐ reembolso postal
☐ outros: _____

Quais os tipos de literatura que você LÊ:
☐ jurídicos   ☐ pedagogia   ☐ romances   ☐ espíritas
☐ esotéricos ☐ psicologia ☐ saúde   ☐ religiosos
☐ outros: _____

Qual sua opinião a respeito desta obra? _____

Indique amigos que gostariam de receber a MALA DIRETA:
Nome _____
Endereço Residencial _____
Bairro _____ CEP _____ Cidade _____

Nome do LIVRO adquirido: Oráculo da Fortuna e do Amor

MADRAS Editora Ltda.

Rua Paulo Gonçalves, 88 - Santana - 02403-020 - São Paulo - SP
Caixa Postal 12299 - 02098-970 - S.P.
Tel.: (0_ _11) 6959.1127 - Fax: (0_ _11) 6959.3090
www.madras.com.br

Para receber catálogos, lista de preços
e outras informações escreva para:

MADRAS®
Editora

Rua Paulo Gonçalves, 88 — Santana
02403-020 — São Paulo — SP
Tel.: (0_ _11) 6959.1127 — Fax: (0_ _11) 6959.3090
www.madras.com.br